Revés de um parto

CIP-BRASIL. CATALOGAÇÃO NA PUBLICAÇÃO
SINDICATO NACIONAL DOS EDITORES DE LIVROS, RJ

R349

Revés de um parto : luto materno / organização Karina Okajima Fukumitsu. - 1. ed. - São Paulo : Summus, 2022.
120 p. ; 21 cm.

Inclui bibliografia
ISBN 978-65-5549-069-5

1. Luto - Aspectos psicológicos. 2. Perda (Psicologia). 3. Mortes - Aspectos psicológicos. I. Fukumitsu, Karina Okajima.

22-76412 CDD: 155.937083
CDU: 159.942:393.7

Gabriela Faray Ferreira Lopes - Bibliotecária - CRB-7/6643

Revés de um parto

Luto materno

Karina Okajima Fukumitsu
[org.]

REVÉS DE UM PARTO
Luto materno

Editora executiva: **Soraia Bini Cury**
Revisão: **Raquel Gomes**
Capa: **Alberto Mateus**
Imagem da capa: **Melancolia, escultura de Albert György**
Diagramação: **Crayon Editorial**

Summus Editorial
Departamento editorial
Rua Itapicuru, 613 – 7º andar
05006-000 – São Paulo – SP
Fone: (11) 3872-3322
http://www.summus.com.br
e-mail: summus@summus.com.br

Atendimento ao consumidor
Summus Editorial
Fone: (11) 3865-9890

Vendas por atacado
Fone: (11) 3873-8638
e-mail: vendas@summus.com.br

Impresso no Brasil

A Felipe, meu primogênito que não tive a honra de conhecer, mas habita em minha morada existencial hoje e sempre.

A todas as mães cujos filhos partiram. Desejo que possam encontrar sentido para continuar sua existência sem a presença física deles.

Sumário

Prefácio

Maria Manso

Saio do elevador e encontro um corredor frio e escuro. Toco a campainha. Quando a porta se abre, tudo muda. Um ambiente claro e iluminado, cheirando a mato e natureza, invade meus cinco sentidos. Uma mulher pequena na estatura, mas gigante no acolhimento sorri e nos convida a entrar naquela sala. Eu e minha equipe de reportagem passamos pelo batente da porta já encantados. Eu havia marcado uma entrevista com a maior referência brasileira em suicidologia. Não sabia o que esperar, mas certamente não poderia ser melhor do que aquilo.

O motivo que me levou a conhecer a doutora Karina Okajima Fukumitsu era tabu até entre jornalistas e meios de comunicação: o suicídio de crianças e adolescentes. O aumento do número de casos nos últimos tempos gritava que era preciso informar, esclarecer, alertar pais, mães e sociedade. Porém, durante muito tempo acreditou-se que falar de suicídio provocava o que se chama de “desencadeador”, ou seja, estimulava mais pessoas, já suscetíveis, a tentar suicídio. Por isso, o silêncio era visto como a abordagem certa. Mas a doutora Karina iluminou nosso trajeto, tanto na entrevista daquele dia como no encaminhamento do documentário *Precisamos falar sobre isso*, que foi ao ar pela TV Cultura.

Nesse caminho, ganhei uma amiga e uma constante inspiração. “Caminha que a vida te encontra”, costuma dizer Karina. Uma frase curta, mas de imenso significado. Vale para quase tudo, inclusive para o assunto deste livro.

Sempre acreditei que a morte nos aproxima da vida. Coloca-nos diante da finitude que transcende nosso alcance. Sentimos de forma palpável como tudo pode mudar num segundo. Como não controlamos nada. Como conhecemos pouco. Como precisamos viver e aproveitar o agora – mesmo sabendo que nada será como antes de um luto, pois cada ausência cria uma presença constante. A pessoa que se foi fica para sempre em nós. Lembranças, sorrisos, gargalhadas, aventuras, choros, colos, discussões, aprendizados. Nada nem ninguém nos tira o que vivemos de verdade. O que nos transformou e formou. Já perdi pai, irmão, amigos de alma, amores da vida. Mas sei que perder um filho é acessar outra prateleira na estante da dor.

As mulheres que compõem este livro nos mostram isso. E também indicam que há saídas mesmo no fundo do poço, mesmo no túnel sem luz, mesmo na morte. E saber que outras pessoas conseguiram superar uma dor que parece insuportável pode nos fortalecer. São relatos doloridos, mas também imensamente generosos.

Por isso, para mim, este livro é como a porta da sala naquele corredor frio e escuro que se abriu para uma sala iluminada e perfumada. Tomara que, ao lê-lo, seus cinco sentidos também sejam estimulados a buscar saídas. Sempre.

Apresentação

Karina Okajima Fukumitsu

É um contrassenso ter filhos para que nós os enterremos. Uma coisa é se preparar para "perder um filho para o mundo", mas é surreal que eles partam antes de nós. Perder um filho para o *mundo* seria mais aceitável, mas perder um filho para a *morte* não o é.

A sensação de traição nos atinge em cheio e nos coloca em uma montanha-russa sem sentido. É o "revés de um parto", como na música "Pedaço de mim", de Chico Buarque: "Oh, pedaço de mim/ Oh, metade arrancada de mim/ Leva o vulto teu/ Que a saudade é o revés de um parto/ A saudade é arrumar o quarto do filho que já morreu".

Quando morre um filho, as entranhas viram do avesso.

Foi Buenos Aires o berço desta obra, concebida em 25 de janeiro de 2020, dia do meu aniversário. Tocada fortemente pelo movimento das Mães da Praça de Maio – cujos filhos desapareceram durante a ditadura militar que vitimou a Argentina de 1976 a 1983 –, senti-me motivada a organizar este livro sobre o processo de luto materno. Dessa forma, gestei este projeto no intuito de oferecer colo às mães enlutadas.

Acompanhar e sentir tamanha dor me fez refletir profundamente sobre o sofrimento que somos obrigados a enfrentar e sobre a eterna busca de sentido na vida.

Quem foi o agente da morte do meu filho? Quem foi o responsável por essa dor dilacerante? Talvez nunca tenhamos respostas, mas desejo aqui mostrar que é possível para uma mãe enfrentar essa perda.

Os relatos presentes nestas páginas falam de filhos que morreram de diversas formas e em condições diferentes – no ventre, por suicídio, acidente, desastre, doença crônica e rara, tragédia natural, negligência social, desaparecimento. Independentemente da forma como se deu a partida, existe um sentimento comum: *uma dor insuportável*.

Na maioria dos casos, a morte veio de forma repentina, sem dar nenhum sinal; e, naqueles em que havia um adoecimento prévio, o fato de nunca mais ver fisicamente o filho ou a filha provocou *desespero*, estado de sofrimento existencial sem sentido que nos tira o chão abruptamente.

A morte de um filho é indignação sem rumo que transforma nossa trajetória mais em peregrinação que em caminho. Trata-se de um processo que nos obriga a reassumir o papel de mãe, pois quando os perdemos parte de nós também se vai. A partida de um filho ocasiona inúmeras outras partidas.

É a ambivalência entre morte e vida que se desvela e, em tessitura sutil, faz que a gente, mesmo morta por dentro, busque vida. É preciso ter coragem para lidar com a morte de nossos filhos, e neste livro reuni muito mais que histórias tristes: organizei e compilei trajetórias corajosas de mães em processo de luto. E, se a palavra *coragem* vem do latim e significa "coração em ação", acredito que esta obra evidencie os caminhos fragmentados percorridos apesar do coração partido pela dor dilacerante.

Nós, as mães autoras, conseguimos encontrar forças para eternizar as histórias de nossos filhos. E acreditamos que, ao compartilhar essa dor, temos a oportunidade de legitimar, por meio de projetos sociais e ações que transbordem amor, a presença deles dentro de nós.

Virou luta diária homenagear e reverenciar nossos rebentos. A *luz da existência daqueles que receberam o título de filhos e filhas deve permanecer*. A presença deles foi o mais valioso presente em nossa trajetória existencial. Assim, morte nenhuma retirará o compromisso materno e o vínculo que manterá vivo o amor que nos une em chama pulsante.

1. O vazio estéril e os fragmentos do luto gestacional

Karina Okajima Fukumitsu

> *É afinal uma força dentro do humano com a qual realizamos tudo, uma constância e uma direção pura do coração. Quem a possui não deveria se deixar amedrontar.*
> (Rilke, 2007, p. 72)

Que alegria ver uma criança que nasce. Vida, luz e esperança. Novidade e sabedoria que chegam em forma de existência. É preciso comemorar a vida que se inicia!

O nascimento de um ser humano representa a concretização de histórias entrelaçadas. Porém, há entrelaço que se torna nó. E o "nó existencial" que compartilho neste capítulo é o do luto gestacional. No ano de 2004, engravidei daquele que seria meu primogênito e sofri um aborto espontâneo no momento em que ouvi minha mãe dizer que se mataria. Então eu disse a ela: "Por inúmeras vezes você tentou se matar e não morreu. Até quando vai querer escolher o momento em que morrerá? Não escolhemos o momento da nossa morte. Calma. Você terá seu tempo de morrer" (Fukumitsu, 2019a, p. 5).

Logo em seguida, senti uma pontada. No pronto-socorro, a ultrassonografia identificou que o feto estava morto; a recomendação médica foi a de que eu aguardasse duas semanas para que meu organismo abortasse voluntariamente.

Foram as duas semanas mais horrendas que vivi, pois dentro de mim não habitava mais meu projeto de vida, mas sim a morte. Nesse período, senti-me em estado de putrefação por caminhar com um ser morto dentro de mim. Velei meu filho em um território chamado *meu ventre*, aguardando que ele fosse expelido do meu corpo. Isso não aconteceu e rumei para a curetagem, a qual constituiu o "revés de um parto".

Compareci ao hospital no dia marcado e passei por toda a preparação cirúrgica. Lembro-me da sensação surreal de entrar em um local intitulado "sala de parto". Adentrei aquele espaço sabendo que não sairia com meu filho vivo, que retirariam de mim um ser que não pôde continuar no meu ventre. Jamais imaginei que daria à luz a morte. Logo que li a placa, recomecei a chorar. Tomei a anestesia local e, depois de um tempo, ouvi o obstetra comentando com os assistentes que o procedimento estava chegando ao fim. Era também o fim de meus sonhos, projetos e da fé em que conseguiria realizar o sonho de ser mãe.

Felipe é o nome do meu filho que não se concretizou fisicamente, mas mora *apenas* em minha memória sonhadora. A palavra está realçada por ser "apenas" o único argumento que tenho depois de ter experienciado o luto gestacional. Segundo o *Minidicionário Houaiss da língua portuguesa* (2010, p. 55), apenas significa: "1. Só, unicamente. 2. A custo, com dificuldades. 3. Logo que, assim que".

Falar sobre o filho que morreu no ventre é considerar um nascimento que não pôde acontecer. É viver "só" e "unicamente" uma experiência compartilhada com outra existência que não se concretizou.

Passar pela experiência do luto gestacional é viver "a custo, com dificuldades" o ventre esvaziado e não preenchido. Ter o filho morto antes mesmo de nascer é sustentar as consequências do "logo que, assim que" o feto partiu por obrigatoriedade, não pela minha vontade.

Quando Felipe morreu, foi embora também a promessa de direcionar meus afetos a alguém. Portanto, morreu também o projeto de dar mais vida à minha existência.

Fruto da relação amorosa com meu marido, meu primogênito carregaria, mesmo antes de nascer, muitas expectativas de continuidade. Mas, depois da curetagem, perdi temporariamente a vontade de sonhar.

Ter um filho que partiu no ventre significa a perda do devir, o fim do sonho, das expectativas e de novas possibilidades existenciais. Dor que nasce com a despedida daquele que já amamos antes mesmo de conhecer.

O luto gestacional nos obriga a rever projetos e perspectivas. Além disso, nos faz buscar estratégias para continuar. Se o processo de gestação implica gestar a ação de semear a vida dentro de si, quando a semente é ceifada traz à mulher sofrimento e inúmeros questionamentos. Em consequência do meu luto, desenvolvi a ideia de que eu não poderia mais descansar nem deixar de produzir, pois meu corpo fora incapaz de gerar um ser humano.

Acrescento a isso as introjeções de ser uma filha que não podia se divertir, pois toda vez que eu tentava brincar durante a infância minha mãe desligava a chave geral e dizia, muitas vezes batendo em mim: "Vai estudar, vagabunda!"

Novos projetos para sobreviver ao luto gestacional

Logo depois da curetagem, minha mãe, que tentara muitas vezes o suicídio, se aproximou de mim e disse: "Você já perdeu muito comigo, não é?" Ao que respondi: "Perdi, mãe. Perdi a infância e a adolescência tentando cuidar da senhora". Foi nesse momento que formei uma parceria com minha mãe para trabalhar com a prevenção do suicídio e meus projetos mudaram.

De mãe enlutada passei a oferecer maternagem a pessoas em intenso sofrimento existencial e decidi divulgar meu trabalho como suicidologista. Ali prometi a mim mesma que publicaria meu primeiro livro sobre suicídio e psicoterapia. Depois de três recusas editoriais, lancei *Suicídio e Gestalt-terapia*, no qual na dedicatória escrevi:

> Ao meu filho, que não conheci fisicamente e que, dentro de meu ventre, presenteou-me com a possibilidade de sentir a vida. Sua descontinuida-

> de dentro de mim confirma a ideia de que, como seres humanos, não temos o livre-arbítrio do momento em que partimos. Sua ausência me fez pensar nas pessoas que veem a morte como possibilidade – particularmente em minha mãe –, que podem ter a vida e escolhem por inúmeras vezes partir deste mundo. (Fukumitsu, 2019a, p. 6)

Publiquei o livro supramencionado ainda em 2004[1]. E, embora estivesse em frangalhos pelo luto gestacional, cansada de trabalhar como uma formiguinha solitária na prevenção do suicídio e bastante frustrada – as Diretrizes Nacionais para Prevenção do Suicídio anunciadas em 2006 não haviam sido regulamentadas e, até então, não se apresentava um plano nacional para prevenir esse tipo de morte –, resolvi ampliar foco de pesquisa para acolher os familiares de pessoas que haviam se matado.

Vivendo meu próprio luto, inclinei-me a aprofundar os estudos sobre o tema. Considero que o luto materno direcionou minhas energias para pesquisar o processo de luto de filhos daqueles que haviam se matado. O fato de não ter conhecido meu filho me fez enxergar meu luto de ser filha. Nessa direção, o aprofundamento nos estudos sobre luto por suicídio e sobre posvenção foi tarefa efetivada tanto no doutorado quanto no pós-doutorado. Descobri uma nova rota a ser trilhada, a qual representou a semente de minha reconciliação com a vida.

Além de me aprofundar nos estudos sobre luto, a partir da morte de Felipe em mim fiquei obcecada por engravidar. Não conseguir fazê-lo representava a incapacidade de ser fértil.

Meses depois da curetagem, viajei para o Rio de Janeiro a fim de conhecer o trabalho de Erving Polster. Fui sorteada para "ser trabalhada por ele" no *workshop* e levei minha dificuldade de engravidar e de não me permitir descansar. Compartilhei que estava reticente em tirar férias com meu marido, pois havia sido convidada para ser para-

1. Reeditado em 2019 pela Lobo Editora.

ninfa de uma turma da faculdade em que lecionava. Nesse *workshop*, percebi que minha evitação de viajar era fruto da dificuldade de perceber a confusão entre descansar e sentir prazer a dois. Além disso, a alcunha "paraninfa" era a grande representação de ser madrinha – ou, para mim, "mãe" dos meus alunos.

Nunca me esquecerei da frase de Polster: "Não existirá um terceiro se a relação dual não estiver boa. Quem sabe se você viajar com seu marido e descansar terá início um novo hábito. A primeira vez é acidente, a segunda vez é coincidência e a terceira vez vira hábito". Nesse momento, identifiquei que o fato de trabalhar de modo desenfreado servia para que eu não entrasse em contato com o vazio – pois acreditava que não suportaria a falta – e com a constante sensação de morte que me acompanhava. Durante muito tempo senti meu útero estéril, restando apenas o silêncio de um ventre vazio.

O que ficou foi o peso de carregar na memória uma existência da qual nunca compartilhei. Um vazio que sequer me permitiu guardar lembranças. No luto gestacional não há memórias, pois estas só aconteceram no imaginário da mãe.

O corpo se torna um memorial que registra o fato que machuca e, ao mesmo tempo, insiste em ser lembrado: o de que houve vida dentro da mãe. A partir da morte em minhas entranhas, fiz em minha morada existencial e em meu coração um memorial, lugar registrado para guardar lembranças de um filho que nunca tive a oportunidade de conhecer.

O luto gestacional me fez sentir como um vaso de barro vazio do qual fui a oleira incapaz de concretizar a produção. Aprendi que percorrer o luto gestacional significa ter de se despedir sem o corpo concreto do filho morto. É difícil aceitar essa perda, pois a ordem natural é violada. Nunca pensei em ter filhos para enterrá-los. Da mesma forma que nunca pensei em engravidar para que a morte reinasse dentro de mim.

A morte de um filho é parte que partiu e semente que não se desenvolveu. É algo que deixou saudades pelo que não pôde ser. Criança do coração. Criança cocriação. Criança que me lançou em profunda solidão. Dor sem explicação, culpa sem razão.

Luto gestacional, silenciamento e o ventre esvaziado que pode ser fertilizado

Durante muito tempo me perguntei: o que fiz de errado para perder meu bebê? Será que isso aconteceu porque eu carregava um retroprojetor entre uma sala e outra durante as aulas? Será que carreguei muito peso? Fiz algo de errado?

Nesse período, lancei-me várias perguntas que se tornaram uma verdadeira tormenta para meu coração fragilizado. Mais tarde, compreendi que não fora o retroprojetor o responsável pela perda gestacional, mas a impossibilidade de a criança se desenvolver.

Uma das falas que mais me trouxeram conforto foi a de que, se o bebê tivesse continuado em meu ventre, provavelmente apresentaria deficiências ou dificuldades posteriores. Embora eu não quisesse ouvir esse comentário, agarrei-me com todas as forças a ele para acreditar que nada era por acaso, sendo preciso aceitar a realidade tal como ela se apresentava.

Aos poucos, percebi as sequelas da perda gestacional: fui dominada pela sensação de ameaça de perder, a qualquer momento, aqueles a quem amava. E, apesar de saber que a morte de Felipe não poderia ter retirado minha vontade de brincar com crianças, foi exatamente o que aconteceu.

Hoje tenho dois filhos que me enchem de alegria, mas também sofreram as consequências de ter uma mãe enlutada.

Parei de atender crianças em psicoterapia. E, quando consegui engravidar e tive meus filhos, eu quase sempre dizia que não tinha tempo para brincar com eles. Filha que não pôde brincar na infância tende a ser uma mãe que enfrentará dificuldades para fazê-lo. Peço perdão aos meus amados filhos Enzo e Isabella, que tiveram uma mãe ocupada demais que não se permitiu brincar porque deixaria de velar o primeiro filho.

Lamento muito que eles tenham se tornado adolescentes que não querem mais brincar comigo; no entanto, aprendi a me perdoar e dedico cada dia da minha vida a cuidar deles da maneira como posso. Nesse sentido, falar sobre luto gestacional significa trazer à tona a dor das entranhas, da frustração e da comemoração que não aconteceu.

Apenas agora, após 18 anos, consigo falar sobre esses assuntos e escrever sobre eles, pois a morte não habita mais em mim. Ao contrário, a vida impera a cada dia. Agradeço a Felipe pela aprendizagem que tive com a morte dentro de mim e aos meus filhos Enzo e Isabella pela aprendizagem diária de tê-los comigo.

O cenário de viver plenamente foi inaugurado quando fui acometida por uma doença chamada encefalomielite disseminada aguda (Adem, na sigla em inglês), uma grave inflamação cerebral. Na ocasião, os desenhos dos meus filhos, colocados à frente da minha cama no hospital, foram a força motriz para que eu continuasse viva.

Depois que me recuperei desse episódio, a morte se distanciou de tal maneira que me permitiu viver uma nova existência reconfigurada. Atualmente, sinto-me MÃE de verdade, pois descobri que sou capaz de ofertar meu tempo e meus cuidados ao Enzo e à Isabella.

Reflexões finais (se é que existe um final para o luto gestacional)

Quando uma mãe experiencia o luto gestacional, que parte dela se refaz ou se instaura? A parte que nos permite silenciar para poder velar... O silêncio expressa a falta de sentido quando um feto morre dentro de nós.

O silêncio fala muito. Fala da dor do amor que partiu; do torpor e do incompreensível. Fala da necessidade de lembrar, repetir e rememorar para entender o pedaço que se perdeu na história que não pôde ser continuada.

Fala de um filho que não foi apresentado fisicamente e não deu à mãe o direito de se despedir. O silêncio é o vazio absoluto, é o silenciamento do estéril...

Enfim, o que fica de um ventre esvaziado? Além do sofrimento, um ser humano que continua vivo apenas na lembrança de que um dia houve vida. Nesse sentido, a vida que habitava a mãe e que se vai, concreta e existencialmente, será espaço de acolhimento, porque acolher é também dar colo aos diversos espaços vazios que a mãe é convocada a viver quando da partida da criança.

Poder se enlutar é se enraizar nas próprias entranhas. E enraizar-se é permitir que o fio do amor seja mantido.

Compartilho um texto, publicado no Facebook pela organização sem fins lucrativos Grieving Mothers[2], que apaziguou meu coração:

> Querida mãe,
>
> Eu ainda estou aqui. Estou aqui para ajudá-la quando o desespero surgir na sua realidade Não fui embora. Acolho cada lágrima que você derrama. Recolho o choro e, a cada gota, dou vida às lembranças que você e eu compartilhamos. Entro em seus sonhos quando você menos espera, e se você olhar atentamente poderá me encontrar neles.
>
> Diga meu nome. Lembre-se de mim nos momentos de silêncio. Esses instantes a apoiarão quando o mundo a atordoar ou tentar abafar o som das conversas que você tem comigo. E, quando você achar que ninguém mais está ouvindo, ainda estou aqui.
>
> Mãe, minha alma está serena agora. Ela não anseia mais pelas coisas que meu corpo físico precisava para sobreviver a essa batalha em particular. Tirou tudo de mim e sei que tirou tudo de você; você nunca perceberá o que isso fez ao meu espírito quando passei daquela vida para esta.
>
> Sei que há dias em que você sente que está enlouquecendo, mas quando ouvir um batimento cardíaco onde não deveria existir nenhum saiba que é o meu coração convivendo com você.
>
> Eu ainda estou aqui. Eu existi. Deixei minha marca neste mundo e estou em paz agora.

2. Disponível em: <https://www.facebook.com/grievingmother?_rdc=2&_rdr>.

Com amor,
Seu filho/sua filha

Permanece a necessidade de seguir o caminho sem o ventre preenchido. É preciso seguir em frente, ainda que na escuridão.

Seguir apenas com projetos para lidar com o projeto interrompido.

Seguir na garantia de que amei aquele que nunca apareceu concretamente, semente do amor, consequência do prazer e do encontro... Um terceiro que não viveu, mas permanece em seu lugar de filho – a quem a morte nunca roubará.

Concluo que, quando somos obrigados a enfrentar a morte, tornamo-nos a própria dor para lidar com ela.

Enfim, o que fica é a vida que segue na impotência sem que nos rendamos a ela. Ficam o respeito pelos sentimentos e a necessidade de fazer por si o que for possível. E, se apenas isso restar, continuar.

Referências

Fukumitsu, K. O. *Suicídio e Gestalt-terapia.* 3. ed. São Paulo: Lobo, 2019a.

______. *A vida não é do jeito que a gente quer.* São Paulo: Lobo, 2019b.

Houaiss, A. *Minidicionário Houaiss da língua portuguesa.* Rio de Janeiro: Objetiva, 2010.

Rilke, R. M. *Cartas do poeta sobre a vida – A sabedoria de Rilke.* Organização Ulrich Baer. Trad. de Milton Camargo Mota. São Paulo: Martins, 2007.

2. Maternidade – Uma luz em minha vida

Rosana De Rosa

A chegada do Luiz Felipe

A notícia da gravidez gerou muita alegria. Eu tinha 19 anos, mas já me sentia preparada para ser mãe, não pela maturidade, claro, mas sempre fui assim, alegre e animada com as novidades da vida. Trazia na alma esse norteador que me direcionava para a maternidade. Em muitos momentos, meu instinto, forte e vivo, deixava-me tranquila, positiva, com a certeza de que eu saberia ser a mãe amorosa que minha mãe e avó haviam sido para mim.

Fazia um ano que eu me mudara para o Rio de Janeiro com meu primeiro marido. Toda a minha família residia em São Paulo; então, fora o meu companheiro e seus filhos do primeiro casamento, eu tinha poucos amigos para me acolher.

Organizamos a chegada do Luiz Felipe e eu desfilava todo fim de semana com aquela barriga linda pela praia de Ipanema. Sentia-me saudável e feliz. Os meses iam passando. Logo o Luiz Felipe começou a interagir conosco. Cada vez que ele se mexia, nos inundava de alegria.

No oitavo mês, vivi um episódio bem complicado: fiquei presa, sozinha, no elevador de serviço do prédio em que eu morava. Foi uma experiência péssima, pois gritei por muito tempo e ninguém me ouviu. Quando o elevador finalmente voltou a funcionar e consegui abrir a porta, tive de subir oito andares, aos prantos, com aquela barriga enorme.

Poucos dias depois desse episódio, notei que minhas pernas estavam inchadas. Tomei um táxi e fui ao meu médico. Lá chegando, ele aferiu a minha pressão, que marcava 16/9. Estava alta, e ele me deu uma guia para que eu fosse fazer uma ultrassonografia. Dentro do táxi que nos levava para o exame, tive minha primeira convulsão e perdi os sentidos. A pessoa que me acompanhava, inexperiente, pediu ao taxista que voltasse para casa. Quando recobrei a consciência, não percebi o que havia acontecido; vivenciando um estado meio alterado, cheguei em casa e me deitei. Uma amiga me ligou e percebeu a minha voz diferente, chamou a ambulância e avisou meu companheiro. Fui levada ao hospital. Dentro da ambulância, tive outra convulsão, e chegando ao hospital me disseram que minha pressão estava altíssima: 23/18.

A essa altura, fui avisada de que teriam de fazer uma cesariana de emergência. Porém, apesar da medicação as convulsões não cessavam e a pressão não baixava. O médico que acompanhava minha gravidez chegou e ouvi o médico do hospital dizendo a ele que eu não poderia ter saído da clínica com uma pressão tão alta. Avisei meu companheiro e disse que não sentia mais confiança no médico nem queria que ele fizesse o parto. Uma pergunta passou a me rondar a mente: e agora, quem vai cuidar de mim?

Foram horas de muita agonia, pois os médicos não entendiam por que a pressão não baixava apesar da alta dose de medicação. Eu havia sido levada para um hospital público e eles não sabiam mais o que fazer comigo. Então, sugeriram que eu fosse transferida para uma instituição privada, com melhores recursos. Porém, não havia ambulância disponível e não permitiram que meu companheiro me colocasse no carro, pois se eu tivesse outra convulsão poderia morrer.

Eu estava muito sonolenta, sem um raciocínio claro para interferir na decisão. Foi a primeira vez na vida que me senti impotente. Depois de duas horas nessa indecisão, fui transferida, já por volta das 19h. Continuaram me medicando sem entender por que a pressão não baixava, e sem isso não poderiam fazer a cesariana. Tudo em que eu conseguia pensar era: "Filho, aguenta firme, estou lutando pela nossa vida".

Minha mãe chegou na última ponte aérea São Paulo/Rio e entrou no hospital quando eu era levada, às 23h, para a sala de parto. A pressão ainda não baixara. No corredor, deitada na maca, senti minha mãe pegar minha mão. Embora estivesse acordada e ouvisse o que eles diziam, eu não dava sinais de vida. Foi então que ouvi o médico dizer que eles não conseguiam mais escutar os batimentos do coração do meu filho e achavam que o bebê estava morto. Afirmou, ainda, que também não podiam dar garantias da minha vida. Porém, comentou que eu tinha sorte, pois o superintendente estava de plantão naquele dia e ia fazer a cesariana, sendo ele o melhor médico na especialidade.

Eu acabara de ouvir, pela primeira vez, a minha real situação. Deitada na maca, indo para a sala de cirurgia, as lágrimas escorreram e fui me despedindo da vida e agradecendo por tudo que eu tinha vivido e pelas pessoas que haviam me amado. Ainda esperei até as 3 da madrugada, sem nenhuma reação. Foram 17 horas de uma traumática angústia, mas finalmente Luiz Felipe nasceu. Aos 8 meses de gestação, seu pulmãozinho não estava completamente formado; ele não chorou e precisou ser colocado na UTI, em um respirador artificial.

Quando acordei, todos me contaram com alegria que meu filho estava vivo. Senti que a vida estava nos dando uma chance. Pedi para vê-lo, mas me recomendaram que não o fizesse, pois o meu quadro ainda inspirava cuidados. Insisti: meu coração me dizia que eu tinha de vê-lo e não podia esperar. Fui levada, amparada por duas enfermeiras, e ao entrar na UTI lá estava ele: tão pequeno, tão frágil, lutando pela vida. E lá estava eu, com o coração repleto de amor. Senti a impotência pela segunda vez, pois queria fazer tudo para salvar meu filho e nada estava ao meu alcance. Paramentada com a roupa adequada, introduzi a mão na incubadora. Tivemos nosso toque mágico; ele agarrou meu dedo e pude senti-lo. Foi o nosso único contato na matéria, mas acreditem: esse único toque físico está gravado na minha alma e representou muito para as minhas lembranças. Todavia, o nosso contato espiritual se mantém crescente, pois o amor que sentimos um pelo outro foi e é gigante.

A possibilidade de conhecer esse amor incondicional transformou completamente a minha vida. Não sei quem eu seria e como seria se não tivesse passado por essa experiência.

Luiz Felipe ficou conosco, aqui na vida da matéria, por dois dias. Em função do meu estado ainda delicado, minha família decidiu que, como eu não poderia ir ao enterro, só me contaria no dia seguinte. Entendo essa decisão racional e protetora como um gesto de amor; porém, com minha experiência atual, eu não faria isso com ninguém, pois ali experimentei a minha terceira impotência: privaram-me de pegar meu filho no colo e de enterrá-lo. Por muito tempo, isso me deixou um buraco no coração. Aprendi que há decisões que não podemos tomar pelo outro.

A vida voltou ao normal para todos; os dias foram passando e eu tinha a sensação de ser empurrada a viver. Porém, o trauma da morte do meu filho e da minha quase morte me deixou sequelas, inclusive o pânico de voltar a ter convulsões. O médico avisou que eu não as teria de novo, que elas haviam ocorrido porque eu era muito nova, que outras jovens tinham passado por aquilo. Ele estava certo, mas queria que tivesse conseguido enviar esse recado direto para minha mente, pois demorou muito tempo para que ela acreditasse nisso. Naquele primeiro ano, sempre levava um lenço na bolsa e o colocava na boca quando temia que minha língua enrolasse e eu tivesse outra convulsão. Na época, ainda não existia o diagnóstico de síndrome do pânico.

A chegada do Thiago

Alguns meses depois, as pessoas me perguntavam: “Não vai querer engravidar outra vez?” Eu respondia: “De forma nenhuma, nem sei quando vou pensar nisso novamente”.

Certo dia, fui ao médico e ele me disse: “Você está grávida”. Meu Deus, como a maternidade é mágica. Assim que soube da notícia, esqueci tudo que pensava e dizia e amei estar grávida novamente! O medo existia, mas a alegria nunca perdeu para o medo, embora eu precisasse administrá-lo.

Para me sentir segura, fiz o pré-natal com o mesmo médico que me salvara a vida. O Thiago foi esperado com muito carinho, tive uma gravidez excelente, ganhei pouco peso e passei muito bem. Na hora do parto, tive novamente um início de pressão alta e confesso que foi assustador, mas meu médico controlou bem a situação. Thiago nasceu um bebê bonito e saudável, e começamos a sentir a alegria que uma criança traz à família.

O primeiro neto, o primeiro sobrinho, o primeiro bisneto; ele foi muito amado. Thiago foi crescendo e vivenciei os melhores dias da minha vida. Meu filho amado ficou conosco por 1 ano e 8 meses, fora os nove meses que passamos juntinhos na gravidez.

O dia 10 de outubro amanheceu e eu não poderia imaginar que seria o segundo dia mais desafiador da minha passagem aqui na Terra. A impotência bateu à minha porta novamente pela quarta vez.

Nós morávamos em uma casa com piscina, que era toda cercada, e nesse dia um funcionário estava ali para limpá-la e cuidar do jardim. Numa sequência inexplicável de fatos, a porta da cozinha e o portão de acesso à piscina ficaram abertos por alguns segundos. Meu filho saiu pelos fundos e, vendo um brinquedo dentro da água, se abaixou para tentar pegá-lo. Thiago amava água e nadava bem para sua idade, mas, ao abaixar, ele escorregou e bateu a nuca na borda da piscina, perdendo os sentidos e se afogando. Dessa forma, não fez nenhum barulho e se afogou em questão de segundos. Essa foi a conclusão dos médicos.

Tudo isso aconteceu em instantes. Foi o tempo de chamá-lo e não ter resposta: como coração de mãe sente, imediatamente corri para a piscina, pulei para retirá-lo e fiz tudo para salvá-lo. Corri com ele para fora da casa, um carro parou, me socorreu de imediato e me levou ao hospital, mas meu filho já estava sem vida. Eu continuava fazendo respiração boca a boca nele, com a esperança de que aquele pesadelo não fosse real.

Os minutos pareciam infindáveis. Implorei a Deus que deixasse meu filho aqui conosco. Meu companheiro chegou e ficamos ali desnorteados até que o médico confirmasse que ele não tinha mais vida no corpo. Nesse momento, senti que havia morrido. Experimentei uma dissociação com meu corpo: eu o ocupava, mas não sentia estar viva. É interessante contar isso a você que está acompanhando a minha história. Até hoje não sei bem como explicar.

O médico, vendo-me sentada no chão – o meu corpo não tinha forças para se sustentar –, querendo me ajudar, disse que me daria um calmante. Naquele instante, a adrenalina subiu com uma força inexplicável e eu perguntei: "Doutor, você tem filhos?" Ele respondeu: "Sim, três". "Algum deles já morreu?" Diante da negativa dele, completei: "Então você não sabe nada do que estou sentindo e não vai me anestesiar. Eu pari este filho e vou enterrá-lo".

Que força humana foi essa que me remeteu imediatamente ao fato de não ter podido enterrar meu primeiro filho? Naquela hora, virei uma leoa.

Fui informada de que Thiago teria de passar por uma autópsia devido ao acidente. Eu não queria permitir que o fizessem, mas meu companheiro explicou que, sem a autópsia, abririam um inquérito. O procedimento era necessário para comprovar que aquilo fora um acidente.

Abriram o meu filho. Uma hora antes, eu nem conseguia imaginar que uma mãe poderia passar por isso. Mas tive de aceitar. "Meu Deus, onde está você", pensei, "que me deixou aqui, sua filha, passar por esta miséria humana que é enterrar meu segundo filho?" Mais uma vez, a impotência bateu à minha porta.

Passar pelo velório uma noite toda, olhar para uma vida que não está mais naquele corpo e perceber que o poder materno não inclui salvar o filho parecia algo fora do *script* da vida. Para completar, vivi outra abominável surpresa: na hora do enterro, descobri que meu filho seria colocado em uma gaveta na parede, e não em um túmulo, como eu até então imaginava.

Quando os trabalhadores terminaram, pensei: "Que mãe é essa que deixa colocarem seu filho em uma parede?" Saí daquele cemitério e pensei em nunca mais voltar lá. Muito tempo depois, descobri que o pai dos meus filhos exumou o corpo de Thiago e o levou para Portugal, seu país de origem. Na verdade, sei que ele nunca esteve em nenhum outro lugar que não junto comigo, no meu coração.

No final do enterro, amigos convidaram-me para ir à casa deles. Não queriam que eu voltasse à minha casa por causa do trauma vivenciado ali. Mesmo entendendo que as pessoas queriam me ajudar, expliquei que, se eu não voltasse naquele momento à realidade que a vida estava me impondo, nunca mais voltaria.

A casa não era o meu problema, mas sim como retirar aquela faca que estava enfiada no meu peito, que doía dia e noite e não me deixava respirar.

No dia seguinte, minha mãe chegou. Ela ficou muito triste de não ter participado do enterro, mas trouxe consigo sua luz amorosa. A presença da minha mãe me gerou um grande acolhimento. O amor que ela sentia por mim era como um cordão luminoso que me devolvera a vida, pois não havia nada mais que me mantivesse aqui. Posso dizer, com toda convicção, que minha mãe sempre foi uma pessoa inacreditável, um ser de luz na minha existência.

Ficamos juntas em silêncio, depois conversamos, choramos, nos abraçamos. Minha mãe sempre escreveu poemas e mensagens inspiradoras em ocasiões especiais ou para acolher quem precisava. Ela fica em silêncio e a mensagem flui da sua alma. Alguns dias depois da partida do Thiago, ela me escreveu uma mensagem que se transformou em um norte dali para a frente. Havia muitas palavras de consolo, mas dentre elas se destacou uma frase que nunca esqueci: "Filha, esta experiência é o despertar do seu coração generoso". Senti, no fundo da alma, que Deus estava falando comigo por meio dessa inspiração.

Entendi que nada sabia sobre os detalhes da minha história. Eu era uma jovem de 22 anos passando por experiências que me marcaram para o resto da vida. A mensagem era a primeira luz no fim do túnel. Através da minha mãe e de outras mentes que a inspiraram, entendi o que eu deveria fazer e qual era a minha missão: "o despertar do meu coração generoso". Esse era o rumo que eu deveria seguir. Como, onde ou quando eu não fazia ideia, pois me encontrava em um limbo emocional, mas sabia que agora havia um motivo para viver.

Iniciei então a jornada do meu luto, não porque tivesse planejado ou quisesse, apenas porque no dia seguinte o sol insistia em nascer e tudo funcionava, inclusive meu corpo, que, automatizado, acordava-me e me fazia viver.

Durante essa jornada, entendi o poder da mente. Senti um caroço no seio e pensei: "Estou doente, ok, Deus vai me levar também". Achei que aquele plano era bom, pois eu vinha de uma família espiritualista que desde sempre validara a imortalidade da alma como parte da experiência humana. Assim, tirar minha vida não era uma opção e eu jamais pensara naquilo. Mas se a iniciativa fosse de Deus, seria mais fácil sair daquele cenário de dor: talvez se tratasse de misericórdia divina. Passei alguns dias conformada, até que entendi que a minha mente estava criando uma realidade para me fazer ir embora e não precisar enfrentar a dor que me fora imposta. Obviamente aquele não era um movimento de Deus.

Ali eu percebi a força da minha mente, percebi que se não nos cuidarmos criamos ilusões que podem virar realidade, adoecendo-nos de verdade. Concluí, então, que com a força do amor que sentia pelos meus filhos, por meio desse elo que atravessa dimensões e jamais se desconecta, eu poderia usar essa mesma mente para buscar uma forma de lidar com a dor. Eu ainda não sabia como, mas sabia que a força da maternidade residia em mim.

Confesso que tinha dúvidas: meu corpo aguentaria ou sucumbiria no caminho? Afinal, a dor era intensa, não dava tréguas e me fazia sentir uma sobrevivente. Com o passar do tempo, percebi que não poderia passar em vão por aquela história de amor: meus filhos tinham vindo para ajudar a "despertar o meu coração generoso" através do presente amoroso da maternidade. Assim, busquei de todas as formas encontrar um sentido para o que havia acontecido.

O primeiro aprendizado "extraindo flor de pedra"

Minha mãe voltou para São Paulo e os dias se entristeceram; eu precisava encontrar algo que gerasse luz naquela escuridão. Foi quando me falaram de um lugar em que faziam transmissão energética para ajudar as pessoas. Fui até lá e conversei com o responsável, que era médico e se tornou a segunda luz na minha vida. Ele disse: "Venha amanhã e começaremos o tratamento". Voltei no dia seguinte pensando que receberia a irradiação, mas ele afirmou: "Olha, a irradiação se faz assim: começamos por estas fileiras e vamos juntos até aplicarmos em todas as pessoas que aparecerem". Estranhei e expliquei que se tratava de um engano; eu não estava preparada para oferecer nada a ninguém. Estava vazia, sobrevivendo, patinando em um limbo que não tinha fim. Ele só sorriu, com aqueles olhos grandes e verdes, e recebi sem ele nem piscar a primeira emissão energética de que precisava. O médico fez um sinal a uma senhora amorosa que lá estava. Ela pegou no meu braço e me explicou como as coisas funcionavam com tanta amorosidade que o "não" não saiu da minha boca. Senti que a vida estava me conduzindo, que eu precisava daquele amor para nutrir a minha alma.

Hoje, fico pensando: que bom que eu me permito me entregar e sentir o que a vida tem a me oferecer. Uso a minha sensibilidade e, se eu sentir que é para mim, deixo entrar e depois descubro o porquê. Entendo que respeito o que sinto, valorizo a forma como me conecto à vida e deixo que ela flua em mim e eu nela.

No dia seguinte, pouco antes das 18h, eu já estava lá, cheia de perguntas na cabeça, mas respeitando o silêncio que o lugar solicitava. Ajudei na arrumação das cadeiras e me coloquei a postos junto com a senhora e outras pessoas que faziam parte do grupo. Comecei meu trabalho de irradiar energia e amor para aquela gente. Muitos tinham o mesmo olhar que eu, alguns traziam chagas visíveis no corpo, outros mostravam uma condição de carência básica. Enquanto isso, o doutor proferia palavras de acolhimento e ensinamentos que encorajavam e nutriam nossa alma.

Ao término, fui para a porta, como a senhora me orientou, dizendo adeus a todos que saíam. Alguns tocavam no meu braço e diziam, sorrindo: "Deus te abençoe, filha". E nessa porta eu fiquei por um ano, restaurando a minha alma com o amor daquelas pessoas, entendendo que parecia que eu estava doando, mas na verdade estava recebendo. Carrego até hoje o aprendizado que meu amigo doutor me transmitiu: "Curamos as nossas dores acolhendo a dor do outro".

O segundo aprendizado "extraindo flor de pedra"

Depois de um período, quando me senti fortalecida, senti que precisava mergulhar mais fundo nas minhas dores. Eu decidira não me medicar para anestesiá-las; era preciso vivenciá-las para aprender com o que a vida me oferecera, extraindo dela o meu crescimento. Optei, então, por buscar ferramentas que me ajudassem.

Por meio de um amigo homeopata, alma com uma luz incrível, obtive ajuda para entrar no processo que chamo de "olhar para dentro". Ele requer transparência e honestidade para consigo mesmo, e para tanto precisa de acompanhamento. Por isso, decidi incluir também a terapia. E foi assim que conheci outra luz na minha vida, que me ajudou a perceber que não há nada de errado em sentir impotência. Ali aprendi que "a vulnerabilidade faz parte do ser", todos estamos submetidos a ela como parte do crescer. Esse aprendizado me levou a validar a minha dor e aceitar a minha história. Com essas duas ferramentas, passei a entrar em contato com meu íntimo com muita honra. Aprendi que "o melhor curador é aquele que conhece a dor". Por isso tudo, e com o incentivo da minha terapeuta, decidi cursar a faculdade de Psicologia. Graduei-me e atuo como terapeuta há duas décadas, buscando ajudar as pessoas a se conhecer e a lidar com suas dores.

O terceiro aprendizado "extraindo flor de pedra"

Percebi que, assim que aceitei a minha história como parte da minha humanidade, passei a sentir gratidão e força. Aprendi a me acolher e gostar mais de mim, sem pena, sem vitimização, sem revolta, apenas entendendo que todo ser humano tem uma história e aquela era a minha. Sinto-me honrada de ter sido escolhida para ser mãe dos meus filhos amados, tornando-me, com esse convite que a vida me fez, a pessoa que sou e de que gosto muito.

O limbo já não está mais presente em mim, consigo me equilibrar nos meus valores, na minha força, na minha experiência e em toda ajuda que recebi. Validando minha capacidade de desenvolver habilidades, de materializar ideias, sentindo-me produtiva na contribuição para um mundo melhor à minha volta a partir da minha história.

Dessa forma, passei a me sentir livre para transbordar o amor que sinto pelos meus filhos e pela vida, dedicando-me a ajudar outros corações que vivem no mesmo limbo em que vivi.

Realizo trabalho voluntário, palestras, atendimentos e cursos para propagar minha profunda crença na inesgotável fonte que é o amor. Diante da ausência física dos meus amados filhos, aprendi uma nova forma de amar, que não é só a matéria, mas sentir a presença dessa energia amorosa no meu coração e na minha alma.

Atuo agora não mais como sobrevivente, mas como uma vivente experiente, que tem muito para dividir com os outros, pois aprendi a lidar com a dor e a extrair flor de pedra.

Comentários prejudiciais que ouvi e ainda ouço

Durante o período de limbo em que eu me via como sobrevivente, encontrei várias formas de acolhimento, todas certamente com intenções amorosas, mas muitas ineficazes, que traziam mais dor que alívio.

"Se eu estivesse no seu lugar, enlouqueceria"

Ouvi isso inúmeras vezes. Aos 22 anos e inexperiente, esse comentário me trouxe o medo de enlouquecer em algum momento, e isso foi tenebroso. Senti pânico, ansiedade e insegurança com essa espera de algo que não aconteceu, mas me assombrou por muito tempo. Aprendi que temos de "validar" a dor do outro acolhendo-o com uma escuta carinhosa, com um abraço amigo, e não "reforçando" sua dor a partir dos nossos medos.

É incrível como um aprendizado ruim pode nos levar a uma iniciativa boa, pois isso que vivi me inspirou a criar o "treinamento ao acolhedor", que oferecemos a milhares de pessoas, de forma gratuita e *online*, no Projeto Acolher Perdas e Luto. O propósito é ensiná-las a praticar o acolhimento amoroso.

"Sinto muito, eu não sabia"

Quando as pessoas me perguntavam se eu tinha filhos e eu contava a minha história, imediatamente elas pediam desculpas por terem mencionado algo que imaginavam ser doloroso para mim e tentavam mudar de assunto. Como esses episódios se repetiam, percebi que a minha história causava horror e passei a evitá-la para não constranger os outros. Isso retardou a recuperação do meu equilíbrio.

Por isso, quando idealizei e fundei, em 2018, o Projeto Acolher Perdas e Luto, para acolher pessoas que vivenciam a dor da partida do seu ente querido, criei o método de acolhimento "Ato de Amor", que aplicamos em grupos no Telegram e baseia-se em tudo aquilo que vivenciei durante o meu luto. O método inclui 12 semanas com 12 temas e exercícios para ajudar as pessoas a "olhar para dentro" e descobrir suas habilidades de lidar com sua dor. O primeiro tema, que chamei de "Choro reparador", visa permitir que as pessoas chorem e contem a sua trajetória, honrando sua história de amor com seu ente querido. Quem presta auxílio deve ouvir com carinho e respeito, sem julgamento nem expectativas. Foi essa a primeira bandeira que levantei para ajudar as pessoas que estão vivenciando o luto. O método de acolhimento se baseia na união solidária de acolhedores que, transbordando o seu amor, aquecem corações, construindo juntos a família universal.

"A *morte é uma perda e um vazio*"
Embora em nossa sociedade a morte e a saudade estejam associadas à dor, na verdade são puro amor, pois só sente saudade quem ama e só morre quem vive. Viver e amar são um privilégio, pois criam memórias incríveis que nos deixam cheios de amor pelos nossos seres amados, amor esse que refletirá para sempre em nossa vida. Sinto muita gratidão pelo presente da maternidade. Os vínculos afetivos deixam nosso coração *cheio* e trazem luz à nossa vida. A sensação de *vazio* e de perda acontece enquanto estamos focados no que queremos que aconteça, e não no aprendizado que a vida nos oferece.

Hoje, no Projeto Acolher, ensinamos que a morte deve ser vista como um cheio e não como um vazio. Celebramos a oportunidade do tempo de convivência e a pessoa que nos tornamos com todo o amor que recebemos daquele que partiu. Cultivamos um olhar natural para a morte, como um fechamento do ciclo da vida na matéria.

O Projeto Acolher Perdas e Luto é um espaço aberto para todos os aprendizes que quiserem praticar o despertar do seu coração generoso através do acolhimento a outros corações, cumprindo assim a nossa missão, que é *amar.*

Deixo aqui minha gratidão e honra por fazer parte deste livro organizado pela minha amiga e irmã de coração Karina Fukumitsu, que num ato de amor fez surgir esta iniciativa de acolher tantos seres humanos.

Deixo aqui também a minha gratidão e honra aos meus filhos, Luiz Felipe e Thiago, por serem uma luz em minha vida.

3. Mães para sempre

Amanda Tinoco

Era uma segunda-feira comum no início de janeiro. Acordei cedo para iniciar toda a rotina semanal de afazeres familiares, domésticos e profissionais. 2013 começava cheio daquela esperança que irradia do *réveillon* e das festas de fim de ano. Eu e meu filho Gabriel havíamos mudado de residência havia quatro meses e estávamos empolgados com o novo colégio de ensino médio que ele frequentaria. A matrícula escolar tinha sido efetivada alguns dias antes e, até que as aulas começassem, ele estava autorizado a curtir as férias escolares passando seu tempo com o que mais amava: jogando no PlayStation, no celular e no computador. Ele desbravava alucinadamente o último *game* que ganhara no Natal.

Combinamos de almoçar juntos nesse dia porque uma dor de ouvido o tinha incomodado durante o final de semana e marquei consulta no otorrino. Apesar de seus 16 anos, ele ainda não ia ao médico sem a minha companhia. Depois do atendimento bem--sucedido, escolhemos o nosso restaurante preferido para nos alimentar: McDonald's. Lanches escolhidos e comprados, dirigimo-nos ao andar superior da loja e nos sentamos a uma ótima mesa que estava vaga perto da janela. Foi um daqueles momentos raros e especiais em que mãe e filho adolescente conversam aleatoriamente sobre filmes, amigos e piadas enquanto as disputadas batatinhas com ketchup desaparecem. *O que eu nunca poderia imaginar era que aquela seria a última refeição da sua vida.*

Lembro-me dele muito animado, me mostrando um jogo instalado em seu celular no dia anterior. Tratava-se do Ingress, *game* que mistura características de *Massive Multiplayer Online* (MMO), RPG e interação com o ambiente através de realidade aumentada. O objetivo principal era se aliar a uma das forças (*Enlightened* ou *The Resistance*) e sair por aí (literalmente andando pelas ruas) coletando essa energia e concluindo missões, que incluíam a aquisição de objetos e tecnologias para auxiliar na conquista de territórios. Ele ficou eufórico quando o aparelho identificou em nosso entorno, em tempo real, algumas dezenas de portais a serem capturados por sua equipe. *Naquele momento, infelizmente, não percebi quanto tudo aquilo poderia ser perigoso*. Como o telefone dele estava com pouca bateria e o meu horário de almoço, terminando, combinamos de voltar àquele local com calma, outro dia, para jogarmos juntos.

Despedimo-nos após algumas boas risadas, dei-lhe um beijo estalado, acompanhado do nosso clássico e costumeiro abraço de urso, e o observei ir embora, sem pensar que, dentro de quatro horas, ele estaria entre a vida e a morte por causa de um acidente fruto de entretenimento. Sim, depois de chegar em casa e carregar o telefone, Gabriel saiu às ruas para jogar sem se dar conta de que, na vida real, não há *play again* e que o *game over* é definitivo. Ele foi atropelado por um ônibus ao atravessar uma rua de onde se podia avistar, do outro lado, dentro de um jardim, a estátua de um anjo. Aquele monumento representava, na verdade, um portal a ser conquistado. Conforme me relatou pessoalmente a profissional do Corpo de Bombeiros em nosso encontro no hospital, ele recebeu os primeiros socorros segurando firmemente o aparelho celular. Só consegui acreditar no que estava ouvindo quando ela me entregou em mãos o chaveiro da nossa casa, encontrado no bolso do meu menino.

Os quatro dias seguintes pareciam um pesadelo do qual eu daria qualquer coisa para despertar. Gabriel em coma, vítima de um traumatismo craniano, nunca mais acordou/voltou. Na primeira noite após o acidente, ajoelhada em meu quarto e sabendo que naquele dia meu filho não retornaria ao nosso lar, tive com Deus a conversa mais sincera e difícil da vida. Sozinha e em prantos, disse-Lhe que Ele conhecia bem a minha dor e angústia, pois também presenciara a morte de seu único filho. Mesmo desesperada, não pedi pela cura do meu filhotinho, pois, naquele instante, eu parecia escutar claramente o trecho da oração ao Pai Nosso em que Jesus diz ao Pai: *seja feita a Tua vontade, assim na Terra como no céu*. Vale comentar que desenvolvi minhas crenças e espiritualidade (diferente de religião) ainda na juventude e estava vivendo a maior prova de fé da minha existência. Sempre acreditei nos milagres relatados na Bíblia Sagrada e tinha plena convicção de que, em um estalar de dedos celestiais, meu filho poderia se recuperar. O que eu não sabia, no entanto, era já estar experimentando na pele o *verdadeiro milagre* e me tornando uma testemunha viva do poder divino, pois restabelecer a saúde do Gabriel seria bem mais simples para Deus do que restaurar plenamente a minha vida daquele dia em diante. Esse sim seria um desafio praticamente impossível para os céus.

Acompanhantes não eram permitidos no CTI daquele hospital público. Durante o período de internação, eu tinha uma hora por dia para visitar meu menino em seu leito e conversar com os médicos sobre o seu estado clínico, que não estava nada bom. Nenhum deles conseguia me olhar nos olhos. Senti falta de ser assistida por um psicólogo ou assistente social que validasse a minha angústia e me ouvisse. Na verdade, tive a impressão de que os profissionais de saúde fugiam de mim. Nem mesmo as pessoas que me abordaram sobre a possível doação de órgãos (visto que meu jovem e saudável Gabriel era um doador em potencial – e foi, efetivamente) souberam como conduzir esse processo de forma humana e apropriada. *Lamentável*. Sentia uma impotência desesperadora quando o breve horário da visita terminava e eu era obrigada a ir embora e esperar por mais eternas 23 horas para voltar a ter alguma notícia. Enfim, a morte cerebral foi constatada e precisava ser confirmada por três médicos diferentes, com um intervalo de seis horas entre uma avaliação e outra. A partir do momento em que recebi essa notícia, ninguém mais conseguiu me afastar da porta do CTI. Completamente atônita, aguardei cada um dos resultados, sem acreditar no que estava sendo obrigada a suportar. Eu parecia estar ligada no modo de sobrevivência e só conseguia pensar em uma coisa: *quero minha vida de volta.*

Terapia do luto

Completamente destruída, quinze dias depois de velar e sepultar meu rapaz, fui a uma consulta com a querida dra. Adriana Thomaz (*in memorian*), médica e terapeuta do luto que, depois de me ouvir lamentar sobre não saber *como continuar a viver sem meu filho*, afirmou seguramente não existir essa hipótese. Segundo ela, eu jamais conseguiria prosseguir *sem ele*, mas poderia aprender a viver *com ele* de outra forma, pois o luto é um processo de transformação – não de abandono – da relação com quem morre. Foi a primeira vez que senti ressurgir um facho de luz no meu coração despedaçado. O *objetivo, então, não era esquecer meu amado Gabriel, mas trabalhar para ficar bem ao me lembrar dele.*

Embora estivesse empenhada em sobreviver, havia dias em que eu só conseguia respirar, e a dra. Adriana me dizia que estava *tudo bem ser assim*. Ela me ensinou que o conceito básico do tratamento consistia em desenvolver ao máximo o autocuidado e a coerência íntima, buscando reconhecer e respeitar todo e qualquer sentimento que se apresentasse a mim. Sim, eu podia chorar e precisava autorizar a raiva, a tristeza, a angústia, o medo e até mesmo a culpa. E, em vez de *desistir* quando o cansaço chegasse, necessitava *descansar*. O cansaço era uma visita bem constante.

Toquei o cotidiano como foi possível, vivendo literalmente um dia de cada vez, e, com o passar do tempo, as muitas sessões de terapia, leituras solitárias e reflexões pessoais me ajudaram a descobrir verdades mágicas: *o amor não morre e não era justo resumir toda a vida do meu filho ao único episódio de sua morte*. Esse era de fato um capítulo importante de sua existência, mas definitivamente não representava por completo a nossa história. A dor gigante que me invadira seria obrigada a conviver com o mais genuíno e sagrado sentimento do mundo – o *amor materno*. Amor este que transcende tempo e espaço e encontra outras formas de amar, por ser muito grande e por ser eterno. Assim, em meio a esse caos que se instalara em minha vida, a maternidade poderia ser encarada como uma dádiva ou como uma tragédia: dependeria da minha percepção e de como eu escolheria seguir a partir de então. Esse impasse fez-me lembrar de uma afirmação de Viktor Frankl em seu livro *Em busca de sentido*: "A última das liberdades humanas é escolher a própria atitude". Pensei: é isso! Xeque-mate.

Contudo, na prática, nada era simples ou fácil. Observar o quarto do filhote cheio de sua presença, impecavelmente arrumado (como nunca antes) com os seus livros, filmes e jogos preferidos enfileirados nas prateleiras, encontrar a mochila, os tênis e a jaqueta jeans intactos no mesmo lugar onde eu deixara e me acostumar com a realidade de não ouvir "mãe!" mil vezes por dia não parecia real. O silêncio na casa era ensurdecedor, mas ainda assim incomodava menos do que muitas das palavras que eu ouvia. *Vai passar; Você precisa ser forte; Ele está em um lugar melhor; Você pode ter outros filhos; Se chorar, você vai atrapalhar o caminho do seu filho*. Isso tudo é terrível. Quem está de luto precisa ser respeitado em seu processo de dor, sem a preocupação de fazer planos para o futuro. É legítimo sentir tristeza e encarar a falta de respostas. Não se trata de aconselhar ou julgar o enlutado, mas de estar presente e oferecer genuinamente seu ombro, seu ouvido e seu abraço forte a essa desafortunada mãe.

Não mais, mas ainda

Abril. O Dia das Mães se aproximava e o pânico instalou-se quando notei que seria a primeira vez, em dezessete anos (considerando a gestação), que eu não teria a companhia física do meu querido e único filho. Será que ainda havia algum motivo para celebrar? A resposta chegou através de uma citação anônima na internet: "Aprender que a morte não é o oposto da vida; a vida não tem um oposto. O contrário da morte é o nascimento; a vida é eterna". Sim, precisei compreender a maternidade como um estado irreversível e concluir que *eu sou mãe do Gabriel para sempre*, pois a morte não tem o poder de me tirar esse privilégio. *Mães e pais de filhos mortos continuam sendo mães e pais*. O que sentimos por nossos filhos permanece presente e forte e nos oxigena. O que talvez seja difícil de aceitar é que a procriação traz consigo um *pacote* e não dá para escolher somente a parte "boa", que nos agrada.

Todas essas descobertas do meu inóspito *mundo novo do luto* ecoavam em minha alma, e decidi compartilhá-las nas redes sociais com outras mães enlutadas. Encontrei alguns grupos na internet que já abordavam o assunto, porém com foco na dor e no sofrimento, que são realmente incontestáveis após a morte de um filho. No entanto, eu havia tomado duas grandes decisões: 1) exercitar a gratidão, reconhecendo que tudo tinha valido a pena; e 2) manter um vínculo permanente com o meu filho, a despeito de sua presença física. Assim, criei um grupo no Facebook intitulado Mães Para Sempre, com a finalidade maior de usufruir das palavras de Marisa Monte: "Deixa eu dizer que te amo/ deixa eu pensar em você/ Isso me acalma/ me acolhe a alma/ Isso me ajuda a viver". Afinal, a elaboração de um luto saudável revela duas grandes verdades: quem partiu não está mais aqui, mas ainda está.

Sim, a essa altura eu já estava cercada de livros que abordavam a morte, o morrer e o luto. Passava grande parte do meu tempo lendo sumidades nesses assuntos, como Elisabeth Kübler-Ross, John Bowlby, Colin Parkes e William Worden, pois eu realmente estava interessada em aprender sobre – e a lidar com – a fragilidade e a finitude humanas. Não adiantava bater três vezes na madeira ou evitar o assunto, pois a morte deixara de ser uma ideia distante e se transformara em uma experiência factual e indiscutível – não só para mim como para todas as pessoas que amo e com as quais convivo. Não se trata de "se" morrermos, mas de "quando" isso vai acontecer.

Constatei que a realidade não muda, mas nossa percepção da realidade pode ser alterada à medida que a consciência se expande. Lembro-me de que um dos títulos mais significativos à época foi

Quando coisas ruins acontecem a pessoas boas, escrito pelo rabino Harold Kushner e motivado por sua experiência com o sofrimento e a morte do filho, me confirmando a tese de que sermos boas pessoas não nos protege da aleatoriedade da vida e da morte. Os conflitos de Will Smith observados no filme *Beleza oculta* (2016) me representavam e agora eu sabia que, independentemente da idade, filhos são tão mortais quanto qualquer velhinho de 90 anos. Entendi também que não é exatamente uma questão de *tempo*, mas de *como* vivenciamos o luto, e que, durante esse processo, não há regras e nada está *certo* ou *errado*. Todo luto merece ser reconhecido como único/singular, sendo importante validar o que faz bem ou mal para cada pessoa.

Enterrar um filho é uma daquelas experiências que nos fazem repensar atitudes, uma vez que nos damos conta de que o controle é uma ilusão. Devemos reconhecer a impermanência e a efemeridade da vida para (e justamente por isso) valorizarmos o tempo e atribuirmos significado à nossa existência. Isto é, amar e honrar a importância do que nos é caro cuidando para não ceder às amarras do apego. Durante o luto, podemos encontrar recursos que nos auxiliem nesse propósito. No meu caso, além das terapias (individual e em grupo) e da literatura, investi na minha espiritualidade através de cursos e retiros, aprendi a meditar e a praticar *mindfulness*. Incluí o amor ao próximo e o trabalho voluntário na rotina e percebi que adversidades fazem parte da experiência de todos os seres humanos. Também vale ressaltar que me permiti ser assistida por uma forte rede de apoio composta por família, amigos, bichinho de estimação e trabalho, que, no dia a dia, fizeram-me perceber que a vida, instável e passageira, não tinha sido 100% perfeita antes da morte do Gabriel e nem seria depois disso. Então, definitivamente, eu precisava ser justa e não colocar tudo na conta dele.

Entrego, confio, aceito e agradeço foi o mantra pessoal do professor Hermógenes, precursor da yogaterapia no Brasil. Ao mesmo tempo que essa composição de verbos conjugados no presente do indicativo me inspira, ela me provoca. Afinal, a fé torna as coisas possíveis, não fáceis; e aceitar as mudanças não significa estar de acordo com elas, mas ser resiliente adaptando-se às novas condições. Esse é um dos segredos de não sobreviver como vítima que se arrasta indefinidamente, mas como quem carrega com orgulho as cicatrizes da mais sublime e valiosa experiência terrena: a maternidade, uma vivência encantada e eterna, a despeito de quanto tempo tenha durado.

Ser mãe de um filho morto é um desafio e significa respirar saudade e admitir sua *presença ausente* ao legitimar no coração um lugar que sempre será dele. Nesse contexto, completamente privados de qualquer experiência física, descobrimos o verdadeiro significado de *amor incondicional*, porque verdadeiramente transcendemos quaisquer limitações a fim de que nossos filhos vivam em nós e através de nós. Ratifico as palavras do filósofo chinês Lao-tsé: "Ser profundamente amado por alguém nos dá força; amar alguém profundamente nos dá coragem".

Todos os dias eu penso no Gabriel, sorrio chorando ou choro sorrindo e, fervorosamente, ultrapasso as barreiras do céu, mentalizando: "Eu te abençoo, meu filho, para que estejas bem, em paz e recebas o meu amor, onde quer que te encontres. Faço as pazes com a esperança e sonho com o dia em que irás me pegar pela mão e me levar contigo dizendo: 'Vem, mãe, agora é para sempre!'"

Referências

FRANKL, V. E. *Em busca de sentido – Um psicólogo no campo de concentração*. Petrópolis: Vozes, 2008.

KUSHNER, H. S. *Quando coisas ruins acontecem a pessoas boas*. São Paulo: Nobel, 1988.

4. Praticando a "besourança" – Transformando a dor em esperança

Paula Fernandes Távora

Que privilégio ter vivenciado nove meses de uma gestação em que me senti plena, exuberante, feliz, com enorme disposição e muita curiosidade em conhecer a linda Juliana, que chegou após dez horas de trabalho de parto numa clínica em Joanesburgo, África do Sul. A nossa grande guerreira nasceu em 23 de abril de 1993, dia de são Jorge. Seu nascimento foi um momento especial, cheio de luz e serenidade: ela chegou por parto normal, com um choro manso, logo abriu os olhinhos castanhos e dirigiu o olhar a mim e a seu pai, Rodrigo. Ficamos extremamente comovidos, pois sentimos que ela falava com o olhar.

Juju era primogênita e a primeira neta na minha família. Era também a primeira neta na família do Rodrigo, meu grande amor e parceiro há 39 anos. Juntos formamos a nossa família linda, especial e perfeita, a qual se tornou completa e harmônica em 1996, com o nascimento da nossa caçula, Izabela, que estabilizou e amplificou nossa energia familiar. Como é bom ser mãe e compartilhar esse sentimento tão fortuito e marcante em minha vida!

Alguns dias antes de completar 47 anos, fui convidada para dar uma palestra em Poços de Caldas, em um congresso médico de minha especialidade – Patologia clínica/Medicina laboratorial. Como o evento seria perto do meu aniversário, decidi levar toda a família, como costumava fazer. Adorava estar com eles em todas as viagens nacionais ou internacionais a trabalho; eram companhias especiais e eu me sentia apoiada pela presença deles. Na ocasião, convidei minha mãe para nos acompanhar; afinal, ela era minha grande parceira na criação das meninas – a vovó Dinorah, sempre presente e nos alegrando com seu alto astral, companheirismo e amor.

No caminho do aeroporto, Juju se queixou de muita dor de cabeça e enjoo. Nada mais lógico do que pensar em enxaqueca, tensão pré-menstrual. Aos 18 anos, esses são os sintomas que às vezes se apresentam, e naquele momento, depois de medicá-la com analgésicos, não vi motivos para desistir da viagem. Chegando ao hotel, a situação ficou um pouco mais preocupante, pois ela manifestou um quadro mais agudo, relatando fraqueza nas pernas, e teve alguns episódios de vômito. Que dilema! Suspender minha participação no evento e retornar para casa? Mamãe segurou a onda e a família ficou no quarto cuidando da Juju enquanto eu ministrava a palestra. Ao final do evento, decidimos retornar para casa quanto antes.

Retornamos no sábado e no domingo celebraríamos meu aniversário. Como sempre, combinamos um almoço em família. Na saída do restaurante, observei que Juju caminhava com dificuldade, apoiada pela irmã. Eu estava muito incomodada e intrigada, mas confesso que evitei me aprofundar nas perguntas e, ao lhe dar boa-noite, combinei com ela que no dia seguinte iríamos ao médico.

No dia 4 de julho, uma segunda-feira, fui surpreendida pela dificuldade da Juju de caminhar e ficar em pé. Fomos então à pediatra que acompanhara minhas filhas desde a infância. Após uma avaliação clínica, ela solicitou que consultássemos um neurologista. Nesse momento, percebi que se tratava de algo diferente. Aquela menina saudável de 18 anos – atleta de handebol, que teve uma infância absolutamente normal e se transformara numa adolescente linda, vaidosa, amorosa, carinhosa e serena – estava ali assustada, querendo entender junto comigo o que acontecia.

O chão ficou movediço para nós duas; porém, o que uma mãe faz quando algo estranho assim se apresenta? Corre atrás, luta para compreender o que está acontecendo e busca causas e soluções.

Na terça-feira, 5 de julho, teve início uma trajetória de 90 dias desafiadores. Juju foi admitida em um hospital de Belo Horizonte e iniciamos a investigação clínica, com exames laboratoriais e de imagem, para tentar elucidar o caso. Sentíamo-nos em um labirinto de dúvidas, incertezas, diagnósticos contraditórios, médicos com hipóteses diagnósticas diferentes – e o nosso medo crescia diante do desconhecido. Por acaso, no corredor do hospital, encontrei um amigo, colega e médico da instituição onde ela estava hospitalizada, que, percebendo o meu desespero, sugeriu que a levássemos para São Paulo.

Naquele momento, eu e Rodrigo vencemos a burocracia e decidimos transferi-la para uma instituição que contasse com uma equipe médica interdisciplinar, o que não encontramos em Belo Horizonte – fomos surpreendidos pelo atendimento de médicos ilustres que não trocavam ideias. Eram estrelas vaidosas, além do fato de não levarem em conta que havia ali uma jovem que precisava de um diagnóstico e de alguma opção de tratamento. Antes da viagem para São Paulo, o neurologista responsável sugeriu uma biópsia na região lombar, trazendo como hipóteses diagnósticas síndrome de Guillain-Barré, meningite esquistossomótica, tumores... Chegaram até a dizer que talvez se tratasse de uma virose. Embora eu e Rodrigo tenhamos autorizado a realização da biópsia pelo neurocirurgião, nos arrependemos, pois foi uma cirurgia que machucou ainda mais a coluna lombar e as inervações vertebrais da Juju – sem que seus movimentos fossem recuperados após o procedimento. Depois de um exaustivo processo burocrático, conseguimos transferi-la para São Paulo em uma UTI móvel aérea. Seguimos eu e ela na aeronave, acompanhadas de médicos muito atenciosos. Lá estávamos nós duas, com muito medo de avião, na esperança de buscar a ajuda de colegas.

O pesadelo nos deixava cada vez mais amedrontados. Fomos recebidas pelo conselho médico, que se debruçou sobre o caso e sobretudo se apaixonou pela Juju, pela meiguice e ternura daquela menina que, com olhinhos assustados e cheios de lágrimas, perguntava à equipe médica o que estava acontecendo. Após inúmeros desafios, Juju recebeu o diagnóstico: tratava-se de um tumor maligno de tecidos moles que se alojara na região lombar, massa que, ao crescer desordenadamente, pressionou a inervação das coxas e pernas – daí a perda da funcionalidade motora, mas com preservação das sensações.

Foi quando me dei conta de que minha filha estava em uma cadeira de rodas, com uma doença rara cujo tratamento específico ainda não se encontrava disponível.

Diante de tantos momentos difíceis, conhecemos o oncologista convidado para assumir o caso. Ele explicou que a patologia de Juju era rara e o caso, difícil, mas a luta era válida e ele estaria conosco. Jamais vou esquecer esse médico, a quem eu devo muito por ter sido sincero com a minha filha e ter dito a ela que não desistisse. Com seus olhos comunicativos, ela perguntou: "Eu tenho um câncer?" Ele respondeu: "Sim, e parece ser de um tipo raro, mas a partir de hoje nós vamos iniciar o tratamento e buscar a cura".

Conversamos nós três, eu, Rodrigo e Juju, e perguntei a minha filha como estava se sentindo. Olhando-nos nos olhos, ela disse: "Mãe e pai, eu não movimento as pernas, mas não sinto dor, então vamos buscar a cura. E ainda bem que foi comigo, porque se fosse com a Bela (que tinha 15 anos na época) talvez ela não compreendesse. Mas eu entendi o que o médico explicou e quero a ajuda de vocês para vencermos juntos essa doença". Esse momento devastador está marcado na minha memória; vi ali uma menina-mulher que encarou essa péssima notícia com a força de um anjo e a humildade de um ser elevado espiritualmente.

Lutamos juntas por três meses, sendo 42 dias dentro de uma UTI, porque o seu quadro evoluiu de forma neurologicamente grave. Essa jornada representou o maior desafio que uma mãe pode encontrar na trajetória da maternidade. Uma montanha para escalar, uma parede para romper, uma porta para abrir, um buraco para cair, areia movediça para escorregar, mil perguntas não respondidas, pois o tempo foi muito curto. Esse é um dos problemas das doenças raras, elas não são tão agudas e impactantes quanto um acidente, mas implicam imprevisibilidade, incompreensão dos fatos e a busca incessante de respostas – o que a medicina não podia nos dar.

No decurso desses três meses, um casal de amigos se ofereceu para encaminhar a amostra da biópsia da Juju aos Estados Unidos e tentar encontrar uma droga que inibisse a velocidade da multiplicação das células tumorais. Optamos pelo encaminhamento do material e surgiu a esperança de tratamento e reversão do quadro, ou pelo menos uma possibilidade de interromper a doença, que avançava de forma avassaladora. Entre as incontáveis batalhas que travamos, esta foi uma das mais difíceis: vencer a tramitação burocrática da Agência Nacional de Vigilância Sanitária (Anvisa) para receber a medicação no Brasil. Nosso país é o mais complexo para questões regulatórias e sanitárias impeditivas, e com a burocracia a medicação só chegou ao Brasil em 29 de setembro de 2011. Lamentavelmente, foi nessa data que Juju perdeu a luta inglória para o câncer e descansou.

Juliana cursava Engenharia de Produção e havia concluído o primeiro semestre com bons resultados e amando sua turma, mas foi privada da convivência com os novos colegas e amigos durante o período da doença. Em nossa família, eu e Juju, junto com Izabela e Rodrigo, fomos privilegiadas pela assistência, apoio e presença de primas, primos, tios e tias durante todo o tempo. Não me recordo de ter tido um dia sem contar com o apoio incondicional deles; diariamente havia um parente para nos alegrar, amparar ou simplesmente estar ao nosso lado. Mesmo com tantas situações adversas, Juju acreditava na cura. Com muita serenidade, enfrentou o diagnóstico cruel e aceitou a passagem sem revolta.

Fizemos uma tentativa de retornar a Belo Horizonte, mas com a evolução do quadro para o estágio terminal retornamos com urgência para São Paulo. Na sua última semana conosco, eu e Rodrigo ouvimos as duas irmãs conversando pelo telefone e Juju, ao ouvir que Izabela iria a São Paulo para passar uns dias com ela, já que um novo tratamento começaria, respondeu sem hesitar que era melhor que Bela não fosse, pois ela voltaria para casa na quinta-feira. Juju descansou nessa quinta-feira, às 22h30 de 29 de setembro de 2011, no dia de são Miguel Arcanjo. Conforme as escrituras sagradas, esse santo tem lugar de destaque na Igreja Católica, sendo considerado o chefe supremo do exército celestial. E, no dia 29, os fiéis celebram os três arcanjos: Miguel, Gabriel e Rafael. O guardião celeste, o príncipe e o guerreiro. O que compreender dessa fala premonitória da despedida?

É impossível ignorar os sinais e Deusidências (coincidências providenciadas por Deus) ocorridas nos 18 anos em que Juju esteve comigo nesta dimensão. Por isso, depois de sua partida, mudamos seu apelido para AnJU, pois desde então ela vem me sinalizando, das mais diversas formas, que me escolheu para ser mãe dela. E tem me ajudado a transformar meu sentimento de saudade e tristeza em honra e privilégio por essa missão.

Esse entendimento não acontece logo após a despedida de uma filha, porque o luto é paralisante, o enfrentamento não é imediato, a primeira reação é de profunda tristeza, seguida de raiva e vontade de encontrá-la até o coração acalmar. Eu me joguei na cama e não queria me levantar, até que Izabela me convidou a enxergá-la também, pois por um tempo eu só pensava na Juju. Fui resgatada por esse convite e em seguida retomei as consultas e a ajuda profissional psicológica. Foi quando me dei conta de que daria início a um novo começo na minha trajetória de mãe enlutada. É claro que eu jamais imaginara que passaria por aquilo. Ninguém pensa nisso; sabemos que a morte é certa, mas não nos preparamos para tal inversão da ordem: minha filha de 18 anos partir e eu prosseguir.

Embora a devastação familiar fosse inevitável, eu, Izabela, Rodrigo e a vovó Dinorah nos unimos e decidimos que não iríamos encarar o luto sozinhos. Assim, todos ingressamos na rede Apoio a Perdas (Ir)reparáveis (API) e optamos por dividir nossas dores, buscando semelhantes e confirmando nossa vontade e capacidade de prosseguir. Já se passaram dez anos e a dor continua, mas o sofrimento não foi nossa opção.

Surpreendentemente, um ano depois da despedida da AnJU, recebi um telefonema dos amigos que haviam intermediado o envio da biópsia dela para os Estados Unidos. Segundo eles, o médico que fizera o diagnóstico da doença rara viria ao Brasil a trabalho e gostaria de nos conhecer. Fiquei impressionada, honrada e intrigada, mas logo confirmei o encontro com esse oncologista americano, que chamava a Juju de "Xuxu". Em um domingo ensolarado, recebemos esse querido na forma de anjo. Ele queria compartilhar conosco o nome da doença rara que acometera Juju: sarcoma epitelial proximal – doença que atinge 0,1% de cada milhão de americanos. Temíamos que pudesse surgir outro caso na família e fomos tranquilizados. O médico compartilhou seu segundo objetivo ao vir até nós: era nos aconselhar a mexer nos guardados da Ju, e eu lhe disse que ainda não havíamos tido coragem. Então ele respondeu: "Por favor, busquem nas coisas da 'Xuxu' os legados que ela deixou no seu breve tempo conosco, pois almas evoluídas deixam mensagens que, se não procurarmos, não encontraremos. Uma menina linda como ela não passaria por esta dimensão a passeio. Tenho certeza de que vocês vão achar algo a que ela dava grande valor, e quem sabe assim possam honrar a memória dela efetivando sonhos que ela não teve condições de concluir". Gratidão é a palavra que descreve esse encontro.

Um ano depois da visita, vasculhando os guardados da AnJU, encontrei registros de mensagens que muito me chamaram a atenção. Com toda a dor que eu sentia naquele momento, as lágrimas competindo com a leitura, foi fundamental conhecer um pouco mais da Juju. Li cartas que ela escreveu e recebeu, olhei fotografias e registros de várias fases da sua vida.

Encontrei um cartão que continha a seguinte frase: "Toda história tem um fim, mas o fim pode ser um novo começo". Eu sabia que a frase era do nosso mestre espiritualista Chico Xavier, mas achei curioso que ela aparecesse nos guardados de uma menina de 18 anos. Em todas as incansáveis buscas para entender seu breve tempo ao meu lado, fui aprendendo que muitas mensagens ainda estavam por vir. Ela não lutou contra o tempo, pois me parece que o tempo dela estava previsto e compreendido. A possível confirmação dessa ideia se deu quando Rodrigo encontrou em um velho *pen drive* um trabalho, chamado "Diário de bordo", feito para a disciplina de religião do colégio Marista. Nesse diário ela relatou sua vida desde o nascimento até os 14 anos, apontando cronologicamente um fato importante na história e um fato importante na vida dela. Para minha surpresa, a frase de Chico Xavier encerrava o trabalho.

Na contínua busca de sinais, lembramo-nos de uma viagem que fizemos à África do Sul, terra natal de Juju, quando ela tinha 16 anos. Lá visitamos amigos e reencontramos o obstetra e o pediatra que haviam participado de sua chegada a esta dimensão. Mais tarde, esse momento de muita emoção foi ressignificado como um fechamento de ciclo.

Na busca de mais sinais, encontramos nesses guardados inúmeros registros do amor da Juju pelo handebol, esporte em que ela se destacou, representando times desta modalidade de esporte em campeonatos metropolitanos e mineiros, sempre trazendo uma medalha ou troféu para casa. Encontrei um vídeo no YouTube de um tiro de 7 metros que mostra a garra dela para fazer um gol! Foi nesse momento que meu coração sentiu que ali estava um sonho que eu poderia concretizar. Procurei uma organização não governamental e juntos fundamos o Núcleo Esportivo Ju Germani de Handebol, projeto que incentiva o esporte que ela tanto amava e desenvolve jovens na prática desportiva. Trabalhamos com inclusão social e encontramos talentos entre jovens atletas cujo futuro é transformado por meio do esporte. Tenho certeza de que, de onde estiver, Juju abençoa os 112 atletas e seus técnicos desse projeto vitorioso, cujo grito de guerra é cantado em todos os jogos do Núcleo: "Ju Germani começou e a gente vai terminar! Vai, Sagradinha"!

Compreender a morte de uma filha me fez encontrar diversos sentimentos novos e me transformou. Não sou mais a mesma, e desde 2011 escrevo meu diário de bordo – como aprendi com a Juju –, construindo ano a ano um projeto, um sonho e uma conquista. E não conquisto esses bônus sozinha: sigo ao lado de Rodrigo e Izabela. Juntos aprendemos a importância do amor da família. O que nos alicerça é o carinho, a consideração, o respeito e a admiração; o que nos une é o entendimento dos caminhos e escolhas de cada um; o que nos fortalece e nos faz voar são as atitudes dos insetos transformadores. Explico.

Lembrando o passado de dor aguda, vejo que me levantei da cama a convite da Izabela e adotei a atitude dos besouros, insetos que, mesmo com asas curtas e pesadas e corpo redondo, voam. Eu me sentia como eles, então teria de fazer o mesmo: me encher de esperança e "besourar". Outro exemplo a ser seguido é o das borboletas, que nos mostram que mudar é bom, ajudando-me a entender que quando uma filha muda de dimensão para descansar eu não devo fazer disso um luto repetido, mas compreender que Deus nos dá pessoas e coisas para aprendermos a alegria... Depois, Ele retoma coisas e pessoas para ver se já somos capazes da alegria sozinhos... É essa a alegria que Ele quer, como lindamente escreveu nosso admirável Guimarães Rosa.

Mas o que fazer com a saudade? Incluí-la nos diversos sentimentos que compõem o luto? Optei por aprender a cultivar a capacidade de sonhar, pois o sonho traz esperança. A paralisia do luto nutre a saudade dolorida, então precisei investir na busca das lembranças boas, na memória dos fatos alegres, nas recordações dos nossos melhores encontros. Tenho de esperançar o reencontro, senão fisicamente, na forma possível, compreendendo os tempos, a distância e a ausência. Então deixo aqui a palavra que ao longo do meu diário de bordo eu criei e adotei como atitude vence-dor-a: *besourança* – a esperança de besourar e voar em busca dos meus sonhos.

Que neste ciclo de dez anos da ausência física eu encontre mais momentos como este, em que transbordo de alegria ao compartilhar o meu entendimento sobre quão rara é a vida e quão especial é a maternidade.

Ser mãe da Juju, uma menina única, também me fez enxergar a singularidade dos momentos felizes vividos. Ser mãe da Bela é uma honra, e pela oportunidade de ser mãe delas sou grata. Por isso quero viver o presente e agradecer a vida que continua...

5. Tsunami existencial

Elaine Prestes

Conheci o amor em seu estado mais puro sendo mãe de uma menininha incrível chamada Mariana. E, como dizíamos uma à outra que o amor era tanto que não cabia no nosso coração, não era justo nem comigo nem com ela que eu me calasse e guardasse só para mim uma história tão linda, que divido com vocês agora.

Como diz Chico Buarque na música "Pedaço de mim", "a saudade é arrumar o quarto do filho que já morreu". Não sabemos nada sobre a dor de perder um filho antes de enfrentá-la; nem sequer nos damos conta de quantas pessoas passam pelo mesmo "tsunami existencial". Um verdadeiro campo de concentração, descrito magistralmente pelo neuropsiquiatra e psicólogo Viktor Frankl, que viveu nos temíveis campos de concentração durante a Segunda Guerra Mundial.

Frankl (2017) relata que perdeu toda a família, exceto uma irmã, e afirma: "A vida é sofrimento, e sobreviver é encontrar sentido na dor. Se há de algum modo um propósito na vida, deve havê-lo também na dor e na morte" (p. 7). Foi esta a melhor comparação que encontrei para explicar tamanha dor: a de estar num campo de concentração, onde perdemos toda esperança, os sonhos e projetos e passamos a viver verdadeiramente um dia de cada vez – por vezes, um minuto de cada vez.

Quem não passou pela dor de perder um filho sequer imagina o que é estar preso entre dois mundos. Parte de nós insiste com um coração que ainda bate e nos paralisa aqui, enquanto o pensamento está num universo que não conhecemos. A fé ajuda a manter a possível existência de um depois, mas é violenta a luta pela sobrevivência. É cruel manter-se numa vida que não mais nos representa, com datas que dilaceram o coração – aniversários que não mais existirão, Natais em que a família já não estará reunida, Dia das Mães e dos Pais que o consumismo determinou. Não adianta: o lugar do filho estará para sempre vazio.

Quando ocorre o falecimento de um filho, muitos pais pensam na morte como uma saída, mesmo que por alguns momentos, para acabar com um sofrimento que não tem fim. Ou, como ouvi de uma mãe cujo filho tirou a própria vida: "Eu queria sentir a mesma dor que ele, por isso coloquei a corda no meu pescoço". Frankl (2017) fala da expressão "ir para o fio", que no campo de concentração "designava o método usual de suicídio: tocar no arame farpado, eletrificado em alta tensão" (p. 33). A vida sempre pode nos impor situações-limite. Quando estamos cheios de medo, de raiva e rancor nos atrapalhamos, e justamente por isso precisamos buscar outro sentido para a existência. Porém, não existe uma receita pronta: o processo de luto é uma experiência singular.

Minha estada no campo de concentração começou como um dia normal: Deixei Mariana na escola logo cedo e nos despedimos com o "eu te amo, tenha um bom dia". Porém, a partir das 9h ela começou a me mandar mensagens reclamando de uma dor no olho descrita como forte; segundo ela, era como se tivesse levado um soco. Fui buscá-la e a examinei. Não havia nada aparente, e além disso tínhamos feito exames oftalmológicos quatro dias antes e o retorno seria no dia seguinte. A dor passou, fomos para casa, fiz a omelete com couve-flor que ela tanto amava e ela dormiu por uma hora. Como estava tudo bem, retornamos às atividades, ela para a escola e eu para o trabalho.

Às 16h10 Mariana me ligou desesperada: "Mãe, a dor voltou e está insuportável, venha me buscar, mas me leve para o hospital!" Meu trabalho ficava a menos de três minutos da escola. Quando cheguei, fui direcionada à sala da orientação, onde Mariana estava deitada no sofá. Quando fiz as primeiras perguntas, percebi que ela não conseguia responder. Então, começou a gritar: "Mãe, tá doendo, mããããeee"! Tentava enxergar as mãos, se debatia e começou a convulsionar. Não preciso descrever o desespero que se seguiu e envolveu a escola inteira. Socorristas foram chamados, muitos procedimentos realizados, mas já havia morte cerebral. Levaram-me para uma sala ao lado, na qual o desespero se estendia – todos lidando com a impotência no seu estado mais puro, comum a todo ser humano.

E todos os que chegavam – amigos, família – iam me dando uma ideia confusa de que era grave. Não sei descrever o que senti, pois não existe forma de as palavras descreverem um momento como esse. Até que meu irmão entrou na sala com as mãos na cabeça e disse: "Minha irmã, não deu". A partir daí, o que melhor posso trazer é a descrição de um grande amigo de minha filha sobre o momento que se seguiu:

Hoje foi horrível. Amanhã será horrível sem ela. Não há como não deixar que cada pequena coisa no meu dia me lembre dela. A cada dia que passa fica pior, ela fica mais para trás no tempo. O tempo é inexorável. Deixá-la para trás sem poder fazer absolutamente nada é a pior parte. Depois da semana passada, nossa sala está buscando se sustentar, ficar em pé. Tentamos amenizar a situação com brincadeiras e piadas, mas por dentro estamos destruídos. Todos os dias eu observo os desenhos que ela fez na minha casa, pensando que ela teria muito talento para ser a desenhista que queria ser. A vida é cruel. É difícil tentar continuar com a rotina, com a escola, com tudo, como se o que aconteceu não tivesse acontecido. Ah, eu me lembro de tanta coisa e tudo está ainda tão fresco na minha mente! É como se ela fosse voltar à tarde dizendo que tudo está bem. É inevitável que seja preciso trancar todos esses sentimentos numa pequena caixinha colorida e seguir em frente. Não quero viver uma vida inteira sem a Mariana. Não quero ter que fazer tudo isso sem ela. Ninguém conseguiu se despedir. Eu me lembro bastante do abraço dela, do cheiro, dos óculos, da voz, das piadas, do humor. É uma dor constante, que oscila em intensidade e me mata por dentro a cada segundo que passa. É impossível relembrar uma ou duas histórias e não ter vontade de me debulhar em lágrimas. Se eu pudesse, teria ido no lugar dela; acho que talvez todos tenhamos esse sentimento em comum. Um dia, ela disse que fiz diferença permanente na vida dela. Desde o dia 25 de abril, o melhor momento do meu dia tem sido o instante após o acordar, quando eu tenho a impressão de que tudo foi um pesadelo. Então algumas imagens me vêm à cabeça – um caixão, uma menina pálida sem vida ou expressão, usando as roupas da Mariana, mas que em nenhum aspecto se assemelhava a ela, uma mãe desesperada, sem esperanças, a chuva fria sobre o meu rosto; o céu nublado e impenetrável, exercendo uma pressão inexplicável sobre as pessoas que naquele cemitério se encontravam; uma melodia fina e insípida que escoava pelas paredes, chão, teto, pela pele das pessoas e por seus olhos inchados, a morte entoando uma canção insossa e encarando a todos com seu olhar furioso. E então desabo com meu próprio peso – é verdade, aconteceu. As cinzas já caíram, está feito.

Está consumado, a vida determinou. O que fazer diante de uma situação definitiva, inesperada e absurdamente imutável – um parto às avessas? Como trabalhar o rompimento de um vínculo criado com esmero, incansavelmente, baseado em uma psicologia estudada e vivenciada de forma pura e linda? Mariana existia desde minha adolescência: era meu projeto de vida ser mãe de uma menina que se chamaria Mariana. E, se a gravidez é a vida do outro dentro da gente, o luto é a morte do outro em nós. Sinto que morri um pouco quando ela se foi.

Embora na gravidez não saibamos como as coisas se darão após o nascimento, vários sentimentos permeiam a gestação: esperança, sonhos e projetos para aquele novo ser que está sendo gerado, que sentimos crescer dentro da gente. Mas a morte representa o fim de todo um investimento, pois deixam de existir abruptamente os projetos para a(o) filha(o) desejada(o). Nosso rebento simplesmente não está mais ali. O quarto, antes preparado com tanto carinho, aos poucos é desconstruído – ou melhor, transformado.

Durante a expectativa para a chegada de uma criança, há mudanças, mas quando ela parte há muitas mais. Somos acometidos de sentimentos como vazio imenso, confusão, solidão. E inevitavelmente a tristeza nos invade, o que pode desencadear a depressão. Uma verdadeira montanha-russa. Ou, usando uma analogia feita por uma mãe de que gosto muito, o luto é como o mar: ora estamos na calmaria, ora na rebentação.

Sim, a vida definitivamente não é da forma como a gente deseja. Iniciei um processo árduo de tentar encontrar uma resposta para tantas perguntas, li inúmeros livros, busquei histórias verídicas de outras mães que passaram pelo que eu começava a enfrentar. Existe céu? Onde é? Como é? E, em conversas com um grande amigo, padre Vandemir, ele me frustrou, dizendo: "Tudo que lhe disseram é mentira, pois ninguém jamais voltou para nos relatar". Descobri então que as respostas não estavam fora, mas dentro de mim.

Iniciava um caminho inverso ao que vivi quando descobri que seria mãe. A alegria agora tinha sido transformada em tristeza; a sensação era a de que eu estava em pedaços. Me desorganizei muito, a atenção ficou prejudicada, como se eu estivesse presa naquele dia fatídico. A dor latejava a cada minuto enquanto eu estava acordada. O desejo era dormir dia e noite, apagar aquela realidade.

Não seria possível sobreviver sozinha com as condições que me restaram. Apesar de ser adulta e responsável pelas minhas atitudes, as ações outrora conhecidas – como pensar, tomar banho, comer, dormir – perderam a vitalidade e a motivação. Eu me sentia como um bebê que volta às condições primeiras da existência. É um momento no qual, diante do sofrimento, voltamo-nos totalmente para dentro de nós.

Inúmeros foram os impactos que sofri; o pior foi descobrir que o mundo continuava, as pessoas levavam uma rotina normal, vivendo com a família. Todos os amigos da Mariana continuavam indo à escola, só faltava ela. As pessoas que antes me rodeavam sumiram; muitos chegaram a relatar que me evitavam por não saber o que dizer.

Não me sentia mais pertencente a este mundo, pois a dor era inefável. Por semanas vivi a agenda de compromissos casados com os de Mariana como se ela ainda estivesse comigo. Demorei a ter consciência da veracidade de tal tragédia, ainda mais porque esta não fora anunciada previamente. O que mais me incomodou nesse período de luto foi a incapacidade das pessoas de abordar a perda, sobretudo a de mães e pais. Fica ainda mais complicado quando a perda é por suicídio.

Frases prontas que mais machucam que consolam, e o que fazer com o que a vida me impôs? Minha linha de estudo e trabalho sempre esteve relacionada à infância, por acreditar que devemos nos esmerar nos inícios para que os fins sejam mais eficazes. Porém, diante da morte da minha única filha – mais que isso, da minha companheira –, vi-me sem foco.

Sempre fui uma pessoa inquieta, e sabia que não podia deixar Mariana no esquecimento e que meu sofrimento não era em vão. Outras buscas se tornaram emergentes, sendo a primeira delas aplacar de alguma forma a maior das dores, a dor no seu estado puro, genuíno. Qual seria agora o sentido de levantar-me, trabalhar? Um papel assumido com muito amor – o de ser mãe – não mais existia. Vi-me vestindo algumas peças de roupas dela, para ter representado algum movimento, alguma continuidade no dia a dia que não fazia sentido.

Foi então que, nas longas conversas com meu amigo padre, surgiu a oportunidade de reunir outras mães para que compartilhássemos nossas vivências em um espaço onde pudéssemos falar abertamente sobre nossos amados filhos sem o julgamento da sociedade. Quantas vezes ouvi frases como: "Você ainda se lembra todo mês o dia em que ela faleceu?" "Você precisa sair, se distrair para esquecer isso", "Pare de chorar, a vida é assim mesmo, todo mundo morre", "Não chore, ela está melhor lá do que aqui".

Para uma mãe que luta com seu luto e está em carne viva, qualquer palavra mal expressada entra como vinagre no corte exposto. Percebi que muitas mães se afastam até da família por conta disso.

Outras não conseguem sequer manter seus cuidados básicos, entrando num processo de "morrência". Afinal, essa inversão das coisas está longe se ser compreensível.

Todos somos livres e temos multicaminhos, mas, diante dessa situação, como eu enfrentaria cada novo dia? Que razão teria para prosseguir se minha vida estava direcionada à minha filha? Um dos primeiros movimentos foi a escrita do meu primeiro livro, elaborado com os amigos da Mariana: *Simplesmente Mariana, ou não!* Foi um trabalho lindo, intenso e de inúmeros encontros. O lançamento se deu no dia de seu aniversário de 17 anos, com direito a banda formada pelos colegas e músicas escritas por ela própria.

Como na vida as coisas nunca acontecem de forma isolada, criei e coordenei o primeiro grupo de apoio ao luto parental de Londrina, Mães da Esperança, e aos poucos fomos acolhendo outros pais que também passavam pela mesma dor. Em agosto de 2017, fizemos nossa primeira reunião. Fomos tateando no escuro, pois éramos pioneiros na cidade, mas os erros iniciais foram aos poucos servindo de aprendizado e crescimento. Abraçar outra mãe é o diferencial; alguém que sabe da sua dor, que torna legítima e humana toda a avalanche de sentimentos que são inevitáveis.

Fomos nos estruturando com o objetivo de "aperfeiçoar a escuta, o acolhimento e os cuidados daqueles cujo sofrimento é intolerável" (Fukumitsu, 2019, p. 7). Muitas mães se juntaram a nós e, aos poucos, descobrimos a quantidade imensa de famílias que passava por esse calvário. No grupo havia também mães de filhos que tiraram a própria vida; embora elas carreguem a mesma dor, a da ausência do filho, alguns sentimentos persistem, o que torna o luto mais delicado.

A medicação e o cuidado emocional foram cruciais nessa minha caminhada, pois a ausência da pessoa que mais amei na vida latejava a cada respiração. Aos poucos voltei a atender na clínica, pois enquanto cuidava da dor dos outros esquecia por pouco a minha.

Como as crianças sempre foram minha paixão, resolvi publicar a primeira produção da Mariana – a qual direcionou sua vida –, e assim vivi o segundo ano do meu luto. Lançamos o livro com Ágata, personagem que ela própria criou, pois adorava ler e desenhar e queria ser escritora e desenhista da Pixar.

Então, resolvi que poderia unir minha experiência como psicóloga com minha vivência tão difícil, e no terceiro ano de luto, com os pensamentos um pouco mais organizados, resolvi ampliar minha dedicação ao grupo de apoio ao luto parental. Também descobri que o luto não tem um tempo: a sociedade cruelmente até cobra isso, mas não é possível quando se trata de um filho. A dor não cabe em nenhuma teoria. Quando se fala de algo que se viveu, é perfeitamente original, incontestável, então busquei autores que não estivessem falando apenas de teorias vãs.

Se não temos apoio, alguém que nos acolha e entenda nosso sofrimento, fica inviável sobreviver e se readequar a um mundo onde a tristeza e a dor não têm espaço. Digo sempre: eu era uma e agora sou outra pessoa totalmente diferente depois da partida da minha filha.

Ao me embrenhar por esses caminhos, percebi a quantidade de pessoas desassistidas por uma sociedade individualista, por políticas públicas inexistentes, por profissionais inaptos para lidar com o acontecimento mais certo entre todos nós, a morte. Da mãe que passa por perda gestacional àquela cujo filho tirou a própria vida, só encontrei desespero – e vi que não estava sozinha.

Se por um filho fazemos tudo, inclusive sofrer, "resgatar a esperança é crer que, embora o luto não cesse, ele será transformado em lembranças e em saudades" (Fukumitsu, 2019, p. 19). *Esperançar* tem sido a palavra de ordem, pois não podemos ficar esperando; é preciso buscar, dar outro sentido, valorizar as pequenas coisas e saber de verdade que a vida é hoje, agora. A morte sempre nos faz refletir sobre a vida, sobre como estamos vivendo e nos relacionando. Mas nossa sociedade insiste em agir como se tudo fosse para sempre.

O que fazer diante do que a vida nos impõe? Decidi unir minha profissão à minha vivência e sair em auxílio das pessoas que passaram pela mesma perda. Diante de uma sociedade líquida, em que os afetos são trocados por coisas, as pessoas não têm um projeto de vida; correm sem foco, sem objetivo, são incapazes de superar crises e carregam muitas angústias – carregam a vivência da impossibilidade de possibilidades. O que há diante de mim? O que a vida espera de mim?

Considerando que somos seres tridimensionais, ou seja, biológicos, emocionais e espirituais – portanto, temos a capacidade de transcender –, o que escolho: ficar como vítima ou ser protagonista da minha história? Entendi que a vida é uma missão, e apesar da dor que sinto todos os dias encontrei um novo sentido: ter claro quem sou e aonde quero chegar. Porém, o sofrimento me tira um pouco da energia de que necessito para alcançar meus objetivos. Nesses momentos em que a dor machuca verdadeiramente, me permito chorar, lembrar, dormir. Um novo dia vem e a viagem continua.

No trabalho como terapeuta e à frente dos grupos de apoio, minha missão é tornar legítima a dor. Sim, somos seres humanos e o sofrimento é inerente à nossa existência. Nosso corpo é suscetível à finitude, mas nosso espírito, não. Vejo que o maior fator protetor de pais cujos filhos morrem é sem dúvida a fé. Precisamos transformar o que antes era concreto, físico, em algo subjetivo, transcendental. E essa é sem dúvida a pior parte do processo de luto, independentemente do tipo de morte.

O legado que Mariana deixou foi de muita grandeza, e não seria justo com ela se eu não o continuasse. Como ouvi um dia desses, há três tipos de morte: a primeira, quando nosso coração para de bater; a segunda, quando somos sepultados; a terceira, quando nosso nome é pronunciado pela última vez neste mundo. Assim sigo com minha Mariana, levando o que de lindo aprendi com essa pessoa tão especial da qual tive a honra de ser mãe.

Referências

Frankl, V. *Em busca de sentido*. 41. ed. São Leopoldo: Sinodal; Petrópolis: Vozes, 2017.

Fukumitsu, K. O. *Sobreviventes enlutados por suicídio – Cuidados e intervenções*. São Paulo: Summus, 2019.

6. Mães Semnome – Uma dor imensurável e inominável

Márcia Noleto

Faz onze anos que minha filha Mariana não vive mais ao meu lado. Não a vejo, não a toco, não converso com ela, não ouço sua voz, não tomamos café nem ouvimos músicas juntas. Não há mais risadas trocadas com cumplicidade. Porém, em hipótese alguma isso quer dizer que ela tenha morrido. Faz onze anos que ela passou a viver em mim.

A filha que coloquei no mundo circula no meu sangue, nas minhas veias e entranhas. Vive diariamente nos meus pensamentos. Me influencia e me renova. Vive em mim através de lembranças que não desapareceram – e só desaparecerão quando eu também não estiver mais por aqui. A sua memória comprova que ela permanece presente e que a morte não é o fim da vida se pensarmos que a pessoa que parte desta existência não parte em nós.

Desde que ela se foi, reconstruções de sentido se articulam dia a dia, buscando propósitos que venham a ocupar os espaços vazios que a presença da sua ausência deixou. Hoje tenho certeza de que a sua partida, de forma tão abrupta, me fez rever tudo que eu era. Vejo, claramente, um antes e um depois. Uma ruptura seguida da invasão de uma tristeza profunda que chegou subvertendo minhas crenças e mudando minhas atitudes.

Lembro como se fosse ontem que antes de seu nascimento eu sonhara com uma menina linda que usava um manto brilhante. Era o anúncio de sua chegada. Ela vinha sem saber que mudaria minha história. Nascimento e morte são assim: acontecimentos transformadores.

No auge dos seus 20 anos – radiante, cheia de energia e beleza –, Mariana se foi em um acidente de helicóptero em Trancoso, interior da Bahia. Era 17 de junho de 2011.

A tragédia resultou em sete mortes, vitimando inclusive duas crianças. Mariana ficou três dias no fundo do mar, presa no que sobrou da aeronave, sem que eu soubesse se iam encontrar seu corpo. Não tive a oportunidade de me despedir. Ela foi enterrada em um caixão lacrado e não pude ver seu rosto pela última vez. A tragédia mobilizou mergulhadores da Marinha brasileira, aviões da Força Aérea Brasileira (FAB) e da Agência Nacional de Aviação Civil (Anac). A cobertura da imprensa foi massiva.

Esses momentos da vida são tão avassaladores que nos fazem sucumbir. O impacto é terrível. Podemos passar muitos anos ou até mesmo a vida inteira tentando entender o que aconteceu sem encontrar uma explicação. A forma como reagimos é diversa. Cada um encontra o seu caminho dentro das possibilidades que se apresentam e na cadência de um tempo particular. Fui descobrindo, ao longo desse processo, que só sabemos a força que temos quando realmente precisamos dela. E em mim se revelou uma força que eu desconhecia, proporcional ao tanto necessário de que eu necessitava para sobreviver. Precisei achar a minha saída. E dei meu jeito.

O caminho que busquei foi o da troca de informações. Fui ao encontro de outras mães que também haviam perdido seus filhos. Queria saber como elas reagiram e se tinham conseguido sobreviver a essa dor tão dilacerante.

Foi então que, depois de conhecer inúmeras mães enlutadas – em trocas presenciais e nas redes sociais –, fundei o Grupo Mães Semnome. Semnome escrito assim: junto, como um adjetivo. Queria, na época, criar um espaço em que as mães pudessem falar livremente sobre suas perdas, pois observava que, passados os primeiros meses de luto, amigos e até familiares se afastavam delas. Elas eram vistas como aquelas que viviam apenas para lamentar a sua dor. Uma dor imensurável que não figurava em nenhum dicionário. Havia um nome para os órfãos – aqueles que perdem os pais – e para os(as) viúvos(as) – aqueles (as) que perdem o cônjuge –, mas não havia uma palavra que nomeasse a mãe que perdeu seu filho ou sua filha. Nem com toda nossa evolução havíamos conseguido nomear essa dor.

Quando o nome do grupo passou a circular em matérias de jornal e em programas de TV, não imaginei que ele se tornaria um adjetivo e que apareceria, mais tarde, como referência em textos sobre perdas. Ao me escrever, as mães diziam: "Sou uma 'mãesemnome', preciso de ajuda".

Em 7 de julho de 2015, o Instituto Mães Semnome foi fundado em cerimônia na Fundação Getulio Vargas (FGV-RJ), por meio de um programa que envolvia o trabalho de assessoria e consultoria jurídica prestado pelo Núcleo de Prática Jurídica (NPJ) da instituição. No evento, reuniram-se alunos, a coordenação do departamento de Direito, inúmeras mães enlutadas e a apoiadora e novelista Gloria Perez.

Ainda com o apoio da FGV e de um grupo de 44 alunos de graduação, no âmbito do Laboratório de Assessoria Jurídica a Organizações Sociais (Clínica Lajes), elaborou-se a *Cartilha jurídica do luto* (Mendes, Nolato e Sciammarella, 2016), oriunda das experiências das próprias mães. Nela, em linguagem simples e direta, fez-se um mapeamento das principais dúvidas e orientações práticas sobre casos de falecimento, desaparecimento, questões funerárias, patrimoniais e sucessórias.

Para minha surpresa, após uma matéria no programa *Fantástico*, da TV Globo, o Instituto recebeu mais de 22.500 curtidas no Facebook. A partir de então, mulheres de vários estados do Brasil e de outros países passaram a me mandar mensagens falando de suas perdas. Respondi a todas elas.

Viramos curta-metragem[1], dirigido pelo jornalista e dublador Bruno Dias e selecionado, em 2017, pelo *Whatashort Independent International Film Festival*.

1. Dias, B. C.; Paiero, D. *Mães sem nome – O luto de mulheres que perderam seus filhos*. Disponível em: <https://www.youtube.com/watch?v=O5TfVU5hEOo>. Acesso em: 16 fev. 2022.

Por meio do padre Omar Raposo, reitor do Santuário do Cristo Redentor, obtivemos apoio da Arquidiocese do Rio de Janeiro e, com essa parceria, o símbolo da cidade foi iluminado no Dia das Mães, por três anos sucessivos, com as cores do logotipo do Mães Semnome.

Missas no Cristo reuniram pessoas vindas de vários estados, todas vestidas com a camisa oficial do nosso instituto. As mães, de mãos dadas, faziam suas orações e depositavam rosas brancas na igreja do santuário, homenageando os filhos. Esses momentos simbolizaram nossa união e nossa solidariedade. Estávamos todas celebrando aqueles a quem amávamos. A impressão que ficava no ar era a de que nossos filhos estavam ali presentes. Até hoje, após tantos anos, recebo mensagens de mulheres relatando que aquelas cerimônias marcaram a vida delas e as ajudaram a prosseguir.

Outras ações foram realizadas: participamos do programa Ação Global, da TV Globo, e organizamos um show beneficente com grandes nomes da MPB. Ministramos palestras no Batalhão da Polícia Militar do Complexo do Alemão, na Cruz Vermelha e no Consulado Geral da Argentina. Organizamos, ainda, visitas a escolas e demos entrevistas a inúmeros programas de rádio e televisão.

Mesmo tendo a exata noção de que a morte deixa indeterminado tudo aquilo que podia ter sido, e mesmo sabendo que a desmesura dessa dor nos leva a pensar mais em nossas impotências do que em nossas potências, sempre caminhei com a certeza de que não podemos nos isolar. Foi trocando e me aproximando das histórias de outras pessoas que descobri, gradativamente, novas possibilidades de rearticulação na vida.

Me formei em Psicologia e atualmente me dedico ao consultório e à organização de seminários, rodas de conversas e grupos de estudos sobre o tema do luto e da abordagem fenomenológica. Dessa forma, ajudo a capacitar profissionais que queiram atender pessoas que enfrentam perdas. Hoje, o Mães Semnome é uma rede renomada de apoio a mães enlutadas, e já perdi a noção de quantas de nós foram ajudadas por esse movimento.

Assim foi e ainda é o meu processo de arrefecimento dessa dor que me acompanhará para o resto da vida. Escolhi não viver remoendo o que me aconteceu, mesmo tendo o pleno entendimento de que sou, de tempos em tempos, invadida por pensamentos que sempre me lembram de que minha filha estava naquele acidente.

Escolhi trocar. Escolhi falar. Escolhi dividir. Escolhi cuidar. E, sobretudo, aprender com a experiência de outras mães. Cada mulher que escuto, seja no *setting* terapêutico, seja na vida pessoal, me faz compreender que, além do fato de sermos finitos, estamos todos buscando momentos de felicidade ao lado daqueles que amamos. Estamos tentando. Sempre tentando. Todos os dias.

Referência

MENDES, A.; NOLETO, M.; SCIAMMARELLA, A. P. *Cartilha jurídica do luto – Orientações práticas e jurídicas aos familiares*. Rio de Janeiro: Escola de Direito do Rio de Janeiro da Fundação Getulio Vargas, 2016 (Cadernos FGV Direito Rio, Clínicas, 5). Disponível em: <http://hdl.handle.net/10438/16567>. Acesso em: 16 fev. 2022.

7. Veredas no outono

Cristiana Jacó Monteiro Cascaldi

Manhã de 18 de junho de 2014. Como eu poderia imaginar que naquele dia receberia a notícia mais devastadora de minha vida? Meu único filho, tão amado, tirara a própria vida.

A notícia chegou pelo meu marido, que se encontrava em prantos no local onde eu trabalhava. Ao receber a notícia, perdi o chão e senti-me completamente fora de mim. Pensamentos desordenados e sem sentido me vieram à mente. Num esforço hercúleo e exaustivo, eu tentava entender o que havia ocorrido, mas uma perturbação imensa me consumia. O que eu ouvia das pessoas ao meu redor não encontrava ressonância; tudo era perturbador e confuso.

Impactante, brutal, violenta! A morte é impositiva e chegou de maneira abrupta. Meus pensamentos continham uma única frase: *nunca mais*. Eu sentia uma dor inefável e um vazio abissal que esmagavam o peito. Pensava o tempo todo que nenhuma mãe merecia enterrar o próprio filho – aquilo mudava o fluxo natural da vida. Tudo que eu queria era ouvir que se tratava de um grande engano, que o fato não tinha ocorrido, que ele não havia partido para sempre.

O velório e o enterro constituíram o movimento mais insólito da minha existência. "A vida requinta em ser cruel", diz o último verso de "Assim a vida nos afeiçoa", de Manuel Bandeira.

Após o enterro, o que eu mais queria era dormir um sono profundo e não pensar em nada. Eu não conseguia me ver no mundo sem ele; o vínculo que nos unia fora violentamente interrompido.

Decorridos dois meses do falecimento do meu filho, eu me encontrava estilhaçada e desorganizada emocionalmente. Esse sofrimento me consumia noite e dia. Eu não conseguia dormir, comer, nem tampouco falar sobre ele. Só chorava, a ponto de ter desenvolvido uma inflamação nos olhos. Sentia-me mutilada, como se uma parte do meu corpo tivesse sido arrancada de mim.

Diante de tudo isso, precisei me acolher. Foi então que busquei a ajuda de profissionais: uma psicoterapeuta e uma psiquiatra. Abatida pela desesperança e pelo aniquilamento existencial, eu necessitava de um espaço em que pudesse chorar, lamentar e falar sobre o suicídio. Meu marido, meus pais e irmãos me ajudaram no que podiam: acolheram-me da maneira que conseguiam, pois estavam extremamente abalados. Passando pelo mesmo sofrimento, todos, cada um a seu modo, tentavam se salvar de suas dores extraindo "flor de pedra", como pontua Fukumitsu (2019, p. 20):

> Uma característica de quem extrai flor de pedras é que ele aprende que deve acolher todos os sentimentos e, por isso, deverá legitimar momentos em que sente vontade de chorar; falar; sentir tristeza, culpa, raiva, revolta e indignação pela condição de sofrimento. Sobretudo, terá de atravessar o lugar da impotência, solo fragmentado e árido, difícil de caminhar.

A posvenção, vivência valorosa e necessária para mim, foi constituída pelas ações que tomei a fim de cuidar de mim e ser cuidada de forma respeitosa. Minhas primeiras sessões com a psicoterapeuta e com a psiquiatra foram muito sofridas e dolorosas; passei várias delas sentada no chão. Era ali que eu, aniquilada pelo sofrimento da perda, me encontrava literalmente: no chão! Essas profissionais acolheram-me de forma empática e solidária. Ficaram comigo naquele momento de profunda dor existencial; seguraram minha mão durante a longa travessia. Apesar do processo de dor e aridez inexoráveis, não permitiram que eu tombasse e me destruísse por completo com pensamentos obsessivos e perguntas sem respostas.

Eu falava das minhas dores, dos meus pesares, do vazio abissal que habitava em mim, da desesperança, da falta de perspectiva de futuro – ou seja, vivenciava o luto em todos os seus aspectos e emoções, sem pressa, no meu tempo e ritmo. As profissionais que me acompanhavam lembravam-me de trocar os meus "por quês" por "comos", posto que os por quês quase nunca levam a respostas exatas. A resposta havia sido levada com o meu filho. Restava o "como". Como eu poderia me ajudar a sair daquele vazio existencial e promover uma melhora no meu dia a dia? Era ali que eu me encontrava, naquele aqui e agora.

> O "como" sempre nos refere à experiência presente, ao que estamos fazendo agora, a como organizamos nosso ser no mundo. O "por quê" nos refere ao passado, à memória, à abstração, às categorias que deixam inalterada nossa forma de ser, convertendo a experiência de estar vivo numa abstração segura e conveniente. (Spangenberg *apud* Kiyan, 2009, p. 46)

Assim os meses iam se passando e eu tentava me fortalecer para prosseguir. Comecei por dar continuidade à faculdade de Psicologia e ao trabalho. Confesso que esses movimentos de retomada demandaram grande esforço emocional e enorme energia. Todavia, eles foram cruciais – sobretudo a faculdade, minha tábua de salvação. Eu precisava sobreviver à tragédia que havia devastado não apenas a mim, mas também aos meus familiares.

A configuração familiar do "éramos três" ao "somos dois" fez-me pouco a pouco buscar ajustamentos criativos possíveis, até pelo instinto de sobrevivência: "[...] pensando no termo ajustamento criativo e desmembrando-o, podemos entender que este processo demanda um ajustamento ao que é possível naquele momento [...]" (Kiyan, 2009, p. 56).

Meu filho cursava o terceiro ano de Medicina na Universidade de São Paulo. Tanto orgulho, projetos e sonhos se esvaneceram. Que sentido eu daria à minha vida se o maior sentido dela fora embora para sempre?

O sentido da vida e os seus significados são elaborações árduas. Trata-se de um processo lento. Entre altos e baixos, foram necessárias muita paciência e aceitação nesse processo de enlutamento, nessa nova forma de ser no mundo. Assim, aos poucos, a resiliência foi se tornando cada vez mais acomodatícia e presente.

Apesar disso, restava um grande pesar... Eu pensava que tudo poderia ter sido diferente, mas como invadir o "eu" do outro para não deixá-lo praticar um ato tão brutal contra si mesmo? Mesmo sendo sua mãe, eu não tinha esse poder. Pensar de outra forma seria prepotência. Não sou um ser supremo que tudo pode, não sou onipotente. Era preciso entender e aceitar minhas limitações.

Eu e meu marido ajudamos o nosso filho em tudo que estava ao nosso alcance. Fizemos tudo que nos foi possível; buscamos a ajuda de vários profissionais para suas dores existenciais, depressões e angústias. Tentamos de diversas formas ajudá-lo, porém não podíamos jamais nos esquecer de que nesse processo tão difícil existia um pedaço somente dele. Um lugar inatingível, impossível de acessar. Por mais que fizéssemos, não tínhamos garantia do alcance nem da eficácia da ajuda.

A morte por si só já é um tema difícil de abordar. Quando se trata de suicídio, as pessoas se calam. Carecemos de falar sobre o suicídio com a família, amigos, conhecidos. Trata-se de um grande tabu, mas mesmo sendo tão doloroso é preciso desmitificá-lo, esclarecê-lo.

O respeito à dor alheia é fundamental. Em 2003, a Organização Mundial da Saúde instituiu o 10 de setembro Dia Mundial da Prevenção ao Suicídio, propiciando um movimento de conscientização da dor existencial do outro, da empatia livre de julgamentos e preconceitos. Aliás, nesse mês se realizam várias ações de prevenção e acolhimento. Trata-se do Setembro Amarelo.

Durante minha caminhada, notei que diversas pessoas se distanciaram de mim. O telefone ficou mais silencioso, as visitas rarearam. Muitos se afastaram por não conseguir falar comigo sobre o meu filho. Já outros vinham com frases feitas, e isso me aborrecia. Frases do tipo: "Você é forte e vai superar rápido"; "Poxa, ele tinha tudo, por que fez isso?" Pude perceber a falta de sensibilidade e tato de muitos daqueles que me cercavam. Senti-me sozinha e desamparada. Comecei a me isolar. O silêncio e a distância eram por mim traduzidos como incapacidade de falar sobre o assunto ou de dar amparo. Uma mistura de medo e tabu. Porém, nos momentos de dor, o que eu queria era apenas um ombro para chorar e um ouvido para ouvir as minhas tristezas sem qualquer tipo de questionamento. Por esses motivos, a psicoterapia foi tão importante e de grande valia.

Durante o processo psicoterápico, trabalhei as várias formas de buscar algo que me deixasse mais leve e fizesse sentido para mim. Fiz coisas inéditas. Eu não sabia como reagiria diante delas, mas me permiti descobrir e ser.

Depois de voltar para a faculdade e para o trabalho, comecei um trabalho voluntário com mães de crianças com necessidades especiais, ao qual me dediquei por três anos. Trabalhávamos com arteterapia, abordagem que foi de extrema importância para a minha evolução no luto. Muito mais que ajudar essas mães, fui por elas ajudada. Além disso, a arte ajudou-me a resgatar sentimentos que estavam sufocados e a me conhecer melhor, sem julgamentos. Não havia mais certo e errado. Os espaços iam se criando, as possibilidades de transformação se apresentavam.

Vi também na natureza a força e a energia que dela emanavam. Nutri minha alma com o belo e descobri a grandiosidade da terra. Passei a plantar árvores: ipês e flamboaiãs, entre outras. Era uma forma de resgatar a vida e o cuidar.

Somos seres biopsicossociais e espirituais. Precisei compreender que tinha outras dimensões a integrar. A espiritualidade me mostrou a fé para seguir na caminhada, a força para buscar, com persistência, um amanhã mais leve. A fé me iluminou e amparou.

Paralelamente, fiz um trabalho com as fotos do meu filho utilizando a técnica do *scrapbook*, apresentada por uma amiga. Ao produzir um álbum de memórias afetivas valendo-me da arte, eu tinha a sensação de estar cuidando das coisas dele. Assim, criativa e recriativamente, pude recordar os bons momentos que passamos juntos.

Sim, tivemos muitos momentos lindos juntos: aniversários, viagens, festinhas na escola, as conquistas dele com a música e a universidade. Tudo isso registrado ali, nas fotos e lembranças.

O bom também deve ser visto, valorizado e respeitado. Todas essas buscas desvelaram meu potencial – antes abafado pela perda –, criando possibilidades para o novo. Os contatos que tive nos diversos grupos que frequentei formaram uma rede de apoio e pertencimento.

Com o passar do tempo, notei que tinha feito bons progressos na minha caminhada; percebi também que não se pode estipular um tempo para acabar com o luto, pois se trata de um processo singular e cada etapa precisa ser muito bem trabalhada e respeitada, valorizando-se o histórico de vida, para que ocorra assimilação.

Não há como esquecer a forma violenta com que o meu filho se foi. Isso é impossível! Mas falar sobre sua trajetória de vida e, consequentemente, sobre o suicídio foi e continua sendo fundamental. Tenho feito isso sistematicamente com os profissionais que me acompanham até hoje.

Eu precisava encarar a dor, entender o que dava para ser entendido e enfrentar todas os questionamentos da forma que me era possível. Mesmo sendo a dor dilacerante, tive de enfrentá-la para que ela não se tornasse um grande tabu em minha vida.

Embora nossa relação tenha sido brutalmente interrompida, eu continuava e sempre continuarei sendo a mãe do meu filho. Sua partida foi um grande divisor de águas em minha existência e no meu modo de ver o mundo. Sei que as coisas não serão como antes, porém o vínculo nunca acabará. Carrego-o dentro de mim, em minhas lembranças e num lugar sagrado no coração. Nas minhas reflexões, nem mesmo a morte nos separará. A nossa conexão permanecerá por toda a minha vida.

Fiquei por um bom tempo tentando entender expressões do tipo "com o tempo você supera". Não aceito a palavra superação para a perda de um filho. Quem consegue superar tamanha perda? Penso de outra maneira: ele está em mim, integrado e fazendo morada.

Hoje, revendo toda a minha caminhada, posso dizer que sou, sim, uma sobrevivente. Fukumitsu (2019, p. 24) explica: "[...] o termo 'sobrevivência' parece expressar o árduo processo de lidar com o sofrimento quando da morte por suicídio".

Assim como as estações do ano, minhas folhas caíram, passei pelo meu outono e fui conduzida a uma grande invernada existencial. O caminho que se apresentava à minha frente era estreito e demandou grande energia e persistência. Havia dias em que o sofrimento era enorme e eu pensava que não aguentaria. De repente, surgia uma força interna que me impelia a continuar caminhando pelo amor que sentia pelo meu filho. Transformei a dor em amor.

A esperança de dias melhores e leves precisava renascer dentro de mim. Eu tinha de reaprender a andar, apesar dos pesares. Mesmo sendo um caminho estreito, ele estava ali para ser trilhado; eu devia prosseguir com a minha vereda no outono.

Felipe Augusto, meu filho amado e querido,

quando estava no meu ventre, você, como ninguém, conseguia ouvir as batidas do meu coração, e eu as traduzia em cantigas repletas de afeto. Sentia o grande amor infindável de carregá-lo, tê-lo e "ser-comigo". Agora, nestes tempos que sucederam a sua partida, posso dizer que a nossa conexão não acabou nem nunca acabará. Você retornará, em forma de amor, para o lugar que tão bem conhecia.

Referências

Bandeira, M. *A cinza das horas*. 3. ed. São Paulo: Global, 2013.

Fukumitsu, K. O. *Sobreviventes enlutados por suicídio – Cuidados e intervenções*. São Paulo: Summus, 2019.

Kiyan, A. M. M. *O gosto do experimento – Possibilidades clínicas em Gestalt-terapia*. São Paulo: Altana, 2009.

8. Desbravando memórias e tecendo o futuro

Gláucia Rezende Tavares

O que é um acidente? Um acontecimento casual, fortuito, inesperado; uma ocorrência com o tempero de algo desagradável e infeliz, que implica danos.

Lá se vão 22 anos do ocorrido. Lembro-me da alegria da minha filha caçula ao ser acordada pelo despertador, no feriado de 21 de abril, para ir à fazenda da família de amigos. Aprontar-se, aproveitar para colocar roupa nova como forma de celebrar o encontro. Ficar diante do espelho, reclamar que os cabelos não estavam como ela gostaria e o beijo de despedida. Eu não tinha noção de que seria o último e de que aquela cena diante do espelho não se repetiria. O peso do *último* é uma ferida que machuca.

A recém-conquistada Carteira Nacional de Habilitação da minha filha lhe permitiu estacionar o carro na garagem da amiga e ir de carona pela estrada que conduziria ela e três amigos ao destino. Quatro passageiros cheios de vida e sonhos.

Fiquei em casa com meu marido, minha filha mais velha e a imagem da despedida. Era 21 de abril de 1998. Passamos bem o dia, embora tenha sentido pesar ao saber da morte súbita do político Luiz Eduardo Magalhães. Meu marido e eu organizamos os documentos para realizar a declaração de imposto de renda e minha outra filha saiu com as amigas.

No fim da tarde, recebemos um telefonema informando sobre o acidente e indicando que fôssemos ao pronto-socorro. Saímos imediatamente, sem ter noção do que nos aguardava.

O fato de meu marido ser médico facilitou sua entrada no hospital e ele pôde se certificar de que a nossa filha não estava lá. Foi o primeiro de uma série de choques. O próximo passo foi ligar para a Polícia Rodoviária e buscar informações. Quando meu marido deu a possível localização do acidente, recebeu a seguinte informação: "Ah, nesse acidente só houve uma morte, uma tal de Camile. O que o senhor é dela?" A resposta, que representou um marco inimaginável, foi: "Pai".

Vinte e quatro anos se passaram e continuamos refletindo sobre esse impacto e sentindo suas consequências. Faço essas considerações de um lugar de fala, o que me dá consciência do espaço e tempo que ocupo como mãe, psicoterapeuta, docente, cidadã e aprendiz, desenvolvendo lucidez, como protagonista e coadjuvante, no cenário de conversações sobre as perdas, as dores, as mortes e os lutos. O desafio é o de impedir o silenciamento de vozes. Devo me apropriar da liberdade para me reconhecer e entender como enlutada, situar-me nesse processo e expressar-me a partir dele.

Apresento duas mudanças paradigmáticas. A primeira é a ideia de que o luto tem prazo para acabar. O luto não termina, essa marca é para sempre. A palavra *superar* chega a ser ofensiva se com ela vem a ideia que se deletou da memória o ente querido. Costumo me orientar por verbos iniciados por "re". É como se o impacto da ruptura da perda nos desse um tranco, provocasse uma marcha a ré no fluxo da vida. O choque avassalador vai sendo assimilado e o sofrimento desmedido dá lugar à dor, que também nos abre para coconstruir bem-estar. Ressignificar, reorganizar, reparar, restaurar, recriar...

Outra mudança paradigmática se refere à vida pessoal do psicoterapeuta. Um dos apoios da ciência moderna é o princípio da neutralidade. Entretanto, a ciência novo-paradigmática, pós-moderna, se apoia em três pilares conectados, aos quais farei referência adiante. Neste momento, refiro-me à intersubjetividade, assegurando a ilusão da objetividade sem subjetividade e o perigo da subjetividade sem objetividade.

A partir de 22 de abril de 1998, minha vida mudou integralmente, inclusive nos aspectos *pessoal*, *afetivo*, *familiar*, *profissional*, *social* e *espiritual*. Experimentei uma crise inominável, vivi grandes limites e identifiquei alguns convites para novos caminhos.

Compartilho aqui uma experiência, entre tantas, para ilustrar o que aconteceu na dimensão *pessoal*.

Três meses depois da morte da Camile, me dei conta de que a minha carteira de identidade estava danificada. No contexto da modernidade (Ibañez, 2001), a identidade pode ser tratada de maneira estática, materializada na carteira de identidade. No mundo pós-moderno, porém, as identidades não são fixas e se transformam em interações, constituindo-se a partir dos significados que damos às histórias. O processo de construção das identidades se dá nos contextos sociocultural e histórico. Como afirma Shotter (1997), nossa vida e nossas identidades encontram-se entrelaçadas às realidades conversacionais que criamos nas interações. Significar é relacional, contextual e colaborativo.

> Diante dessa desordem imposta, tudo que se concebe como certo e garantido se desfaz, e o indivíduo se vê forçado a reconstruir um novo modo de viver para se sentir seguro [...] o que se pronuncia é uma "não identidade", pois, num indefinido espaço de tempo, não é possível reconhecer a identidade prévia, tampouco a nova que emerge diante da ausência de um vínculo significativo. (Casellato, 2020, p. 27)

A construção da identidade pode ser compreendida como um processo dinâmico, em que a pessoa participa da narração utilizando o tempo passado, presente e futuro, em um contexto interacional formado por pessoas, grupos, animais e objetos que existem ou tenham existido. Duas referências são relevantes: onde a pessoa se encontra e aonde ela quer chegar.

Providenciar um novo documento, muito mais do que uma nova cédula, era um dos vários movimentos para compor uma nova identidade espaço-tempo com valores refletidos e atualizados. "Uma nova identidade precisa ser constituída, sendo necessária a adaptação à existência sem a pessoa, num ambiente desconhecido e inseguro" (Kovács, 2020, p. 11).

Considerando o âmbito *afetivo*, meu marido e eu vivemos nossa dor compartilhada. Foi um exercício de colaboração e respeito, sem disputas no que se refere a quem vivia a maior dor. Desde então, acredito que não há "dorômetro". Cada dor é pessoal e intransferível, merecendo ser legitimada e acolhida.

No aspecto *familiar*, cuidamos do desafio de assimilar a presença ausente e a ausência presente da filha que morreu e validar o convívio com a nossa primogênita, que ganhou o adjetivo de filha sobrevivente. "Os filhos sobreviventes têm que conviver com a fragilidade dos pais e, em algumas circunstâncias, se exigem protegê-los. Há uma autocobrança e sobrecarga em ter que fazer por si e pelo que supõe que o irmão fizesse para alegrar os seus pais" (Tavares e Tavares, 2016, p. 64).

Profissionalmente, aprofundei-me nos estudos sobre perdas, dores, mortes e lutos. Tornei-me tanatóloga e terapeuta familiar, estendendo os atendimentos a famílias enlutadas. Fui articulando minha experiência encarnada às produções teóricas. A teoria nasce com o que é possível, e o diálogo sobre os achados clínicos e as novas pesquisas é continuamente ampliado. O legado dessa experiência pessoal para a minha condição de psicoterapeuta foi a ampliação da minha envergadura clínica, acionando a coragem para lidar com temas espinhentos.

Socialmente, houve mudanças no convívio e nos assuntos que passaram a me interessar, no meu direito e dever de fazer escolhas sobre onde, com quem e como estar. Ousei ampliar o conceito de luto. Não o restringi à morte concreta de pessoas significativas e bichos de estimação, incluindo nesse conceito as perdas simbólicas relativas a separações, mudanças na vida, fases do desenvolvimento e adoecimento. Assumo que todo e qualquer processo de escolher pressupõe renunciar e priorizar, podendo ser tranquilo em algumas situações e bastante delicado em outras. Aprendi que, na vida real e no real da vida, quem não se dispuser a assimilar os contínuos lutos vive muito mal.

Segundo Amaral (2020), o tempo do luto é o tempo da recomposição da alma. Não se trata de um evento, mas de um processo. *Espiritualmente*, minha compreensão se ampliou e a vida passou a fluir melhor com o reconhecimento do que é sagrado na minha vida. "A espiritualidade faz com que a busca de sentido esteja presente na vida diária. Portanto, a espiritualidade é estar plenamente vivo, o que é muito diferente de uma vida na ilusão da perfeição... A base da espiritualidade é a qualidade de vida e das atitudes no cotidiano" (Tavares, 2014, p. 12).

A integração desses aspectos me permitiu estar em sintonia com o fluxo da vida. Possibilitou que houvesse sintonia com o ritmo e a pulsação do universo, desobstruindo entraves reais e mentais. Houve uma transposição realizada no exercício de conectar lucidez e produtividade, o que se desdobrou em organização.

Em outubro de 1998, em parceria com o meu marido, criamos a Rede API – Apoio a Perdas (Ir)reparáveis.

> Esse trabalho não nasceu pronto. Fomos construindo as funções, as posições, as regras, escolhendo caminhos à medida que as situações foram se apresentando. A rede funciona em um novo paradigma de parceria, cooperação, corresponsabilidade e crescimento mútuos, coerente com uma postura pós-moderna. (Tavares, 2018, p. 234)

Trata-se de um trabalho voluntário ininterrupto há 23 anos. Em tempos de pandemia, acolhemos profissionais de saúde abalados por atender tantas pessoas que morreram e necessitando administrar os lutos por perder clientes, familiares, amigos e colegas de profissão.

Da complexidade da vivência do processo de luto – que é muito diferente do luto complicado –, nos abastecemos de contínuos aprendizados. Aprendi, experiencial e cognitivamente, que a vulnerabilidade é condição vital.

Esteves de Vasconcellos (2002) distingue três avanços da ciência novo-paradigmática em relação à ciência tradicional:

1. Do pressuposto da *simplicidade* para o da *complexidade*, desconstruindo-se as explicações lineares de causa e efeito em relação aos fenômenos vivos.
2. Do pressuposto da *estabilidade* para o da *instabilidade* do mundo, desconstruindo-se as garantias e certezas.
3. Do pressuposto da *objetividade* para o da *intersubjetividade*. Não existe uma realidade independente do observador; assim, desconstrói-se a ilusão de neutralidade.

Vale compreender que os três pressupostos não se excluem: são eixos interconectados. Humanizar a vulnerabilidade é se apoiar nos pressupostos teóricos desenvolvidos pela referida autora.

Terapia narrativa do luto

Segundo Casellato (2020, p. 34), "a narrativa do luto se organiza na direção de um sentido agregador. A intimidade com a diferença gera a reconciliação, e a intimidade com o luto promove a integração da experiência dolorosa e permite o ajustamento às perdas e à vida, *apesar de* e *por meio* delas".

White (1994) explica que os enlutados se mostravam aflitos diante da possibilidade de dizer adeus ao seu ente querido. Sensibilizado pelo intenso sofrimento dessas pessoas, o autor compreendeu que elas haviam perdido muito – não apenas alguém amado, mas uma parte substancial de seu senso de identidade. A desolação era tão grande que ele passou a criar contextos para que as pessoas conseguissem incorporar a relação perdida. Optou, assim, por reincorporar o relacionamento perdido dizendo *olá novamente* em vez de dizer *adeus*.

Tal orientação o levou a formular perguntas que auxiliassem as pessoas enlutadas a recuperar o relacionamento com a pessoa perdida. Nas respostas, os enlutados relatavam o que percebiam como experiência positiva do convívio com a pessoa que havia falecido. As lembranças provinham de fatos ocorridos e experiências que compreendiam aspectos afetivos e emotivos. Dessa forma, passado, presente e futuro se entrelaçavam para compor novas narrativas.

A terapia do luto permite contatar o que estava esquecido e acessar novas e enriquecedoras percepções e validações de si mesmo. O exercício é honrar a vida além da morte. O desafio é manter e ampliar a conexão com o ente querido, convidando-o metaforicamente às conversações, e manifestar recursos e habilidades. Os enlutados vão se dando conta de seu papel em suas produções, tornando-se ativos na constituição e modelagem da própria vida. Isso lhes permite assumir o curso de sua existência. Passam a ser autores e espectadores de suas realizações, ampliando a autoridade e a autonomia. Há o *dizer adeus* à realidade material e a integração do *olá novamente*. Essa metáfora se mostra eficaz na medida em que facilita a expressão do caráter singular e não submete os enlutados a especificações normativas.

Derrida (1995) desenvolve, no campo linguístico, o conceito de *ausente, mas implícito*. Busca revelar as contradições ocultas nos textos, tornando visíveis os significados reprimidos. Ouso utilizar o termo *ausente, mas implícito* referindo-me à presença ausente e à ausência presente daquele que se foi. Diz Kóvacs (2021, p. 164): "Cuidado, reflexão e competência são importantes para que se crie uma barreira defensiva no trato do tema morte – ainda uma terra de ninguém no âmbito educacional".

A psicoeducação em saúde se propõe a reconhecer que o tema morte requer nos abrirmos para o impacto da finitude e desenvolvermos sensibilidade para acolher a experiência de familiares, clientes e amigos.

> O processo dual do luto demanda cuidar dos sentimentos diante da perda e engendrar esforços para reestruturar a vida sem a pessoa querida. [...] O exagero em uma dessas dimensões pode dar aos emotivos a ideia de que são frágeis e vulneráveis; e aos que buscam a reestruturação após a perda, de que são frios e insensíveis. Cada polaridade tem a sua impor-

tância; ambas são complementares e precisam ser reconhecidas. (Kovács, 2020, p. 12-13)

Com a morte da Camile, herdei uma dor que emergiu na minha vida sem aviso prévio. Sentir dor passou a ser sinônimo de não fugir. Experimento essa companheira incômoda, que me tira o sossego e não se despede facilmente. Herdei também a possibilidade de desenvolver paz de espírito, tranquilidade e serenidade, apesar da dor. A aceitação passou a ser a porta da reparação, tendo enorme valor terapêutico. Acredito que a perda irreparável de maior impacto na vida é não aproveitar as oportunidades de aprender com as vivências pessoais.

Vivemos tempos de pandemia e todos temos sido tocados. Vale a disposição para compreender, discernir e acolher. Reconhecer a dor como nossa mestra. A consciência da vulnerabilidade nos salva da ilusão da onipotência. A dor e a enfermidade nos despojam das garantias. Colocam-nos em condição de necessidade.

Não podemos ser indiferentes ao sofrimento alheio. O sofrimento se manifesta na carência de sentido. Não há tempo para indiferença e menosprezo. Não é possível construir um mundo diferente com pessoas indiferentes. Devemos nos colocar como irmãos. Os laços da fraternidade merecem ser tecidos de mãos estendidas, com respeito, escutando com o coração aberto, firmes em nossas convicções.

Não há fraternidade se vendemos nossa alma ao diabo. Vivemos um momento de escuta e de aceitação sincera. O mundo sem irmãos é um mundo de inimigos. Prescindir do outro é uma forma sutil de inimizade. Não está em nossas mãos não sofrer. A dor pode ser ocasião de nos encontrar, mudar o coração com sensibilidade, legitimar nossos semelhantes e defender a vida. Que tenhamos coragem para nos iluminar e nos curar da enfermidade de nos fecharmos em nós mesmos.

Referências

Amaral, A. C. *Cartas de um terapeuta para seus momentos de crise*. São Paulo: Planeta, 2020.

Casellato, G. Luto e identidade. In: Casellato, G. (org.). *Luto por perdas não legitimadas na atualidade*. São Paulo: Summus, 2020, p. 25-36.

Derrida, J. *A escritura e a diferença*. São Paulo: Perspectiva, 1995.

Esteves de Vasconcellos, M. J. *Pensamento sistêmico – O novo paradigma da ciência*. Campinas: Papirus, 2002.

Ibañez, T. "Como se puede no ser construcionista hoy en día?" In: *Psicología social construcionista*. México: Universidad de Guadalajara, 2001, p. 245-57.

Kovács, M. J. "Prefácio". In: Casellato, G. (org.). *Luto por perdas não legitimadas na atualidade*. São Paulo: Summus, 2020, p. 7-14.

______. *Educação para a morte – Quebrando paradigmas*. Novo Hamburgo: Sinopsys, 2021.

Shotter, J. "Dialogical realities – The ordinary, the everyday, and other strange new worlds". *Journal for the Theory of Social Behaviour*, v. 27, n. 2/3, 1997, p. 345-57.

Tavares, G. R. "Morte na vida, vida na morte – Caminho possível?" In: Tavares, G. R. (org.). *Do luto à luta*. Belo Horizonte: Folium, 2014, p. 12.

______. "Conectar enlutados – Do degradar ao despertar e prosseguir". In: Fukumitsu, K. O. (org.). *Vida, morte e luto – Atualidades brasileiras*. São Paulo: Summus, 2018, p. 232- 42.

Tavares, E. C.; Tavares, G. R. (orgs.). "A fratura da fratria". In: *E a vida continua*... Belo Horizonte: Edição do autor, 2016, p. 64-69.

White, M. "Decir de nuevo: ¡Hola! La incorporación de la relación perdida en la resolución de la aflicción". In: *Guías para una terapia familiar sistémica*. Barcelona: Gedisa, 1994, p. 57-68.

9. 27 de janeiro de 2013 – O dia em que a negligência roubou minha filha

Ligiane Righi da Silva

Jamais imaginei passar pela dor de perder uma filha. Ainda mais uma cheia de saúde, planos e com uma vontade louca de viver.

Nossa vida virou de ponta-cabeça da noite para o dia. Um sábado de comemorações que acabou numa tragédia que poderia ter sido evitada. Como assimilar tudo isso? Eu só queria que minha filha fosse se divertir e retornasse para casa com segurança.

Como lidar com essa situação? Eu não sabia o que fazer. Estava perdida e sentia um vazio e uma dor enormes. Esse vazio e essa dor me acompanham até hoje. É indescritível, assim como a falta que minha filha faz. O fato de Andrielle não fazer parte fisicamente de nossas conquistas dói demais.

Sou uma sobrevivente. Digo isso sempre que sobrevivo um dia de cada vez e agradeço constantemente por ter a minha outra filha, a Gabrielle, pois sem ela não sei sinceramente se aguentaria.

Desde muito jovem, meu sonho sempre foi de ter duas filhas, e sem dúvida sou privilegiada por ser mãe da Andrielle e da Gabrielle. Esse laço de mãe e filhas que nos une não se rompeu nem mesmo com a morte.

E assim me sinto com a Andri: sei que ela está bem, mas ficou aquele apego de mãe que quer o filho sempre pertinho. Sinto falta dos abraços, daquele jeito como só ela sabia me abraçar. Sinto saudade de escutá-la me chamar de "véia", de vê-la chegando de mansinho quando queria algo.

Tudo isso faz falta, muita falta. Cada detalhe dos momentos que não temos mais torna-me incompleta. Trata-se de um vazio que nada preenche, mas tenho a esperança de reencontrá-la, pois nada é por acaso e tudo, com certeza, tem uma razão de ser. Saberemos lá na frente os porquês dessa longa caminhada chamada vida.

A realidade de quem perdeu um filho é cruel, temos altos e baixos. É sempre um dia de cada vez, com muita fé e amor. Acima de tudo, nos ressignificamos.

Esse amor por minhas filhas me põe em pé a cada amanhecer, me dá forças para lutar para que seja feita justiça e nenhuma família passe pela mesma dor que enfrentamos. Lutamos para que tragédias não se repitam e que a morte de minha filha, de suas amigas e de todos os jovens que pereceram na boate Kiss, em Santa Maria (RS), não tenham sido em vão.

Casei-me muito nova, aos 19 anos, e aos 21 tive Andrielle, dando início ao sonho de ter duas filhas. Andri era pequenina quando nasceu: tinha 46 cm e pesava 3,8 quilos. Era a minha bonequinha e a princesa do Flávio. Eu a amamentei até quase 3 anos de idade, e ela sempre foi muito saudável.

Andrielle reinou em casa por quase cinco anos. Era esperta, amorosa e desde pequena demonstrava uma personalidade forte. Adorava brincar com primos e vizinhos. Aproveitou a infância ao máximo. Guria de sorriso farto e lindo demais; eu adorava seu jeitinho de falar assim que ela começou a dizer algumas frases completas. Muito obediente e amorosa conosco, sempre nos abraçando e beijando. Tinha um jeito único de ser.

Depois, a Gabrielle chegou para completar nossa família. Ela tinha dois meses quando ensinei Andri a trocar suas fraldas, e ela passou a me ajudar nos cuidados com a irmã. Foi assim até os últimos dias juntas.

Minhas duas gurias cresceram cercadas de amor e carinho. Eu e meu marido, Flávio, sempre fizemos questão de comemorar os aniversários, mesmo que de forma simples. Andrielle nasceu em 24 de janeiro de 1991, e Gabrielle em 2 de janeiro de 1996. Esse sempre foi um mês de festas, alegria e diversão. Com a diferença de idade entre elas, consegui aproveitar cada uma no seu tempo.

Andri tinha muitas amigas, mas as mais importantes eram Flavinha, companheira de escola, e Vitória e Gilmara, colegas do cursinho pré-vestibular. Estavam sempre juntas, construindo uma amizade verdadeira e sincera. Eu adorava quando elas se reuniam aqui em casa e tomavam conta da cozinha. A casa ficava alegre e bagunçada; não me esqueço das risadas delas. Vitória era a melhor amiga da Andri. As duas eram inseparáveis – "as manas", como chamavam a si próprias. Vitória cursava Nutrição em Palmeira das Missões, mas assim que tinha uma folga voltava a Santa Maria para se encontrar com as gurias. Andri estava fazendo cursinho e queria prestar Desenho Industrial; Flavinha cursava Pedagogia; Gilmara, Direito.

As quatro se completavam, o que muito me encantava. Eram parceiras em tudo e extremamente responsáveis. Sempre havia a motorista da noite e, caso decidissem que todas iam beber, voltavam para casa de táxi, mas na maioria das vezes era o pai da Flavinha quem as trazia. Por serem meninas, nossa preocupação era com a segurança delas durante a ida e a volta das festas. Elas avisavam quando chegavam aos eventos e também se fossem demorar. Quando estavam juntas, eu ficava tranquila, pois Andri estava muito bem acompanhada. Amanheciam escutando música ou vendo minha filha tocar violão.

Andri era canhota e queria muito tocar violão, mas sem virar as cordas. Aprendeu sozinha a tocar o instrumento. Às vezes, passava a tarde toda tocando no quarto. Eu, babona, escutava e elogiava, mas ela dizia que eu gostava de tudo, e que elogio de mãe não contava.

Minha filha se mostrava tímida quando não conhecia bem as pessoas, mas se soltava com o passar do tempo e se tornava uma grande amiga e confidente. Adorava seus All Stars pretos, sua calça jeans e suas blusas de banda de rock. Tinha um estilo próprio, mas quando queria se arrumar virava um mulherão. Baixinha de personalidade forte, era autêntica no seu jeito simples e despojado. Amiga para todas as horas, estava sempre pronta a ajudar quem precisasse. Vivia intensamente o hoje e o agora. Adorava festejar seu aniversário, e não foi diferente quando completou 22 anos.

O dia 26 de janeiro de 2013, um sábado, amanheceu ensolarado e quente, como uma tarde de verão tem de ser. Prenunciava-se uma noite incrível para comemorar o aniversário de Andri. O local escolhido era um dos mais frequentados por jovens de Santa Maria – a boate Kiss.

Minha filha saiu para comemorar mais um ano de vida e eu a recebi em um caixão. Minha preocupação sempre fora com o deslocamento da festa até a nossa casa; eu acreditava que uma boate até então conceituada fosse segura e apta a receber os frequentadores. Achava que existia fiscalização por parte da prefeitura, que músicos não usavam pirotecnia ou que no mínimo faziam uso de artefatos próprios para ambientes internos. Mas não. Os sócios da boate só pensavam em faturar, tanto que naquela noite o lugar estava superlotado. Os agentes públicos também nada fizeram para fechar uma casa noturna que sempre funcionou de forma irregular. Os músicos optaram por utilizar um artefato pirotécnico mais barato e impróprio para ambientes internos. Todos só pensaram em dinheiro.

Nenhum deles se preocupou com vidas, tanto que a primeira ação ao perceber a movimentação das pessoas diante do fogo foi trancar a porta da boate para que ninguém saísse sem pagar a comanda. Cada um buscou maneiras de dizer que não tinha culpa. "O músico não queria matar ninguém", "quem comprou o artefato não queria matar ninguém", "os donos da boate não queriam matar ninguém", "o poder público não queria matar ninguém".

A minha filha, as amigas dela e os demais 237 jovens também não queriam morrer. Os mais de 630 sobreviventes também não desejavam ficar com sequelas psicológicas, pulmonares e físicas (grande parte deles tem queimaduras devido ao calor do incêndio). A tragédia da boate Kiss, como boa parte das tragédias, era evitável. É por isso que fazemos incontáveis alertas sobre a prevenção de acidentes e buscamos a punição dos principais responsáveis pela morte daqueles 242 jovens. Queremos justiça para que a Gabrielle possa ir à balada e voltar viva para casa. Justiça para que nenhuma família seja desfeita por conta de irresponsabilidade e ganância.

No dia 1º de dezembro de 2021, teve início o julgamento do caso da boate Kiss, que durou dez dias e resultou na condenação dos quatro réus. Nenhum deles foi cumprir a pena imediatamente devido a um *habeas corpus* preventivo pedido horas antes por um dos advogados de defesa. Ainda cabem recursos e prevemos mais alguns anos dessa luta por justiça e prevenção. Atualmente, fevereiro de 2022, os réus estão presos e seus defensores continuam impetrando recursos para que sejam libertados.

A justiça não trará minha filha de volta, e de fato a condenação não devolveu a Andrielle para meus braços, mas a responsabilização pode se mostrar eficaz em fazer que as pessoas pensem antes de tomar atitudes que visem apenas o lucro. Tragédias são evitáveis. O que aconteceu na Kiss não foi um acidente, tendo inclusive acontecido em outros países, como Estados Unidos e Argentina.

Não queremos que uma nova tragédia tome corpo, nem que mais jovens morram enquanto deveriam apenas curtir a vida. Não desejamos que nenhuma família passe por esse trauma e essa dor que dilacera, por isso clamamos por justiça.

Justiça! Por Andrielle, pelos demais 241 jovens e pelos mais de 630 sobreviventes.

10. Todos os dias 25 são de janeiro

Helena Taliberti

Durante 33 anos fui mãe e por cinco meses fui avó. Camila, de 33 anos, e Luiz, de 31, estavam felizes como eu nunca os havia visto.

Profissionalmente realizada, Camila era advogada especialista em direito digital, ramo que abarca os regramentos que envolvem os cidadãos e sua relação com a tecnologia. "Assunto do momento", ela dizia, sempre engajada nas realidades do mundo. E estava apaixonada...

Luiz, arquiteto, morava na Austrália com Fernanda, que estava grávida de 5 meses. Feliz na profissão e no trabalho que escolhera, acabara de ser nomeado diretor do renomado escritório de arquitetura onde trabalhava em Sydney. Deslumbrado com a paternidade, veio ao Brasil para descobrir e nos contar o sexo do bebê. Passamos dias maravilhosos em Florianópolis. Era um menino – eu seria avó de Lorenzo, que chegaria em junho.

Depois, foram a Brumadinho a fim de visitar o Instituto Inhotim com o pai biológico e a madrasta de Camila e Luiz.

As tragédias acontecem com os outros e com eles nos solidarizamos, mas nunca percebemos que elas também podem nos acometer. A vida não nos prepara para tragédias. Não nos prepara para viver a morte de filhos, muito menos naquela que tinha tudo para ser a melhor fase da vida deles.

O trauma nos abate e desorganiza de tal forma que cria um divisor de águas. A Helena mãe e a Helena não sei. Não há um nome que defina as mães cujos filhos morrem. Não somos viúvas, não somos órfãs. Simplesmente não somos mais nada.

Vinte e cinco de janeiro de 2019. Feriado na minha cidade. Dia ensolarado de verão, dia de passeio.

Caminhávamos pela rua quando, perto das 14h, meu celular avisou que uma barragem havia se rompido na cidade em que meus filhos estavam. Nada preocupante, apenas um alerta... Eu não entendia nada de barragens, não conhecia a realidade local e não atinei para o fato de que eles poderiam ter sofrido algum dano.

Por via das dúvidas, enviei mensagem à Camila, sem resposta. Ao Luiz, sem resposta também. À Fernanda, aos grupos que temos. Silêncio.

O sol já se punha quando amigos e familiares, depois de conversarem entre si, começaram a nos perguntar sobre eles, pois também não conseguiam comunicação. O medo estava plantado, bem como a incredulidade de que algo tivesse acontecido à nossa família.

Continuávamos sem comunicação, sem saber o que fazer. A noite se adiantava e não havia a menor possibilidade de dormirmos. Os pensamentos só traziam a negação.

As informações chegavam confusas, sem nexo, e não traziam nenhuma orientação e nada concreto. A mídia noticiava o rompimento seguidamente sem que se soubesse o que de fato havia acontecido, mas com imagens fortes do caminho que a lama de rejeitos já havia percorrido. Comparavam o acidente com a tragédia de Mariana.

Assim, a primeira noite avançou em claro. O desespero tomou conta de mim de um jeito que não consigo descrever. Parecia uma anestesia, um soco vindo de uma direção que eu não era capaz de identificar. Onde estavam meus filhos? As mensagens continuavam sem resposta. Amigos e familiares ligavam pedindo notícias, sempre tomando cuidado para não nos assustar.

No dia seguinte, familiares de Minas Gerais que tinham informações oficiais pediram que fôssemos a Belo Horizonte.

No avião, eu nutria a esperança de que o acidente tivesse derrubado torres e a falta de sinal fosse o motivo de não conseguir falar com eles. De que poderiam estar perdidos na mata e eram suficientemente espertos para sobreviver. De que logo os telefones voltariam a funcionar e então encontraríamos todos eles.

Meu marido e eu chegamos a Belo Horizonte no sábado e fomos diretamente à Academia de Polícia para informar sobre nossos familiares desaparecidos. O clima era de total confusão. Ninguém sabia da magnitude da tragédia. Os funcionários mostravam-se perdidos com a quantidade de familiares e amigos que procuravam entes queridos.

Meu corpo cansado e meu coração desesperado me levaram a mais uma noite sem dormir, sem comer, sem saber o que pensar, sem conseguir nem sequer rezar. Eu não sabia o que pedir a Deus, a Nossa Senhora, ao Seu Filho.

No domingo, 27, depois de dois dias sem notícias, fomos a Brumadinho junto com o pai de Fernanda. Ao chegarmos ao local em que os familiares dos desaparecidos estavam sendo recepcionados, deparamos com um cenário desolador. Ao contrário do que imaginei, não havia lá nenhum sobrevivente, apenas familiares não só desesperados por notícias, mas também chocados com a forma como estavam sendo tratados pela empresa e pelos órgãos oficiais lá presentes. Mães, pais, filhos, filhas e amigos mostravam-se atônitos com tudo que estavam vivendo.

Ainda tentávamos entender onde Camila, Luiz e Fernanda poderiam estar. A busca nos hospitais da região fora infrutífera. Ninguém com a descrição deles havia dado entrada nas unidades de saúde que estavam recebendo sobreviventes.

Quando veio a confirmação de que a única pousada atingida era aquela em que eles estavam, pensei que deviam estar em Inhotim, que poderiam ter saído antes de a lama triturar e esmagar tudo. Um desaparecimento assim não podia ser verdade – não o era nem mesmo para a empresa, que constantemente se recusava a colocá-los na lista de desaparecidos. Quem não está desaparecido não é procurado! Só nos restava esperar que os bombeiros os resgatassem vivos.

A esperança foi sendo substituída por um sentimento selvagem que nem sei definir. Desespero é pouco. Minha vontade era gritar sem parar.

Luiz foi o primeiro a ser encontrado, quatro dias depois da tragédia. Fui chamada ao IML. Me perguntaram o que eu era dele. No seu documento, meu nome era o de casada com seu pai, ao contrário da identidade que apresentei. Fiquei catatônica. Como assim, será que alguém vai ao IML passear?

Pediram que eu reconhecesse o corpo, mas não havia corpo a ser reconhecido. Tratava-se de um saco preto fechado, com uma etiqueta com código de barras colada onde havia um número. Eu deveria conferir se o número da etiqueta era o mesmo que constava no documento que acompanhava o saco preto onde estava meu filho.

Me perguntaram o que eu queria fazer com o corpo. Pensei: isso é pergunta que se faça? Eu não queria corpo, eu queria vida.

Dois dias depois, quando Luiz foi cremado, Camila foi encontrada, junto com seu pai biológico. E a cena se repetiu. A pergunta de quem eu era porque os nomes não coincidiam, o saco, o número, o documento, o questionamento sobre o que fazer com o corpo. Tudo outra vez!

As cerimônias de cremação pareciam pesadelos dos quais eu acordaria a qualquer momento, aliviada por ser tudo mentira.

Nos dias que se seguiram, e durante muito tempo, as pessoas se aproximavam com abraços apertados e frases prontas que não faziam o menor sentido. "Jesus te ama." Sim, mas não amava meus filhos? Por que deixou que morressem de forma tão desumana? "Deus está no comando." Onde Ele estava que não impediu que a barragem rompesse e triturasse minha filha, meu filho, minha nora, meu neto e todas aquelas pessoas? Que comando é esse que deixa essa tragédia acontecer?

Permanecemos em Brumadinho durante muito tempo, mesmo depois de Luiz e Camila terem sido encontrados. Levou 22 dias para que minha nora fosse encontrada e mais outros tantos para que sua família pudesse receber o corpo. Foi a espera mais perversa de todos os tempos. Acordar de manhã cedo e pedir a Deus para que o corpo de Fernanda fosse encontrado e que ela pudesse ser reconhecida.

Sim, porque àquela altura já se sabia que a maioria dos corpos tinha sido despedaçada, não havia corpos inteiros.

Ela foi cremada no dia do meu aniversário, 27 de fevereiro. Não era possível esperar mais... Não há mais nada a celebrar nesse dia.

Ao retornar para casa, em São Paulo, tudo parecia estranho, frio, opaco, silencioso, vazio. As burocracias da morte eram as únicas coisas que preenchiam nosso tempo. Desmanchar a casa da Camila? Como assim, ela nunca mais virá? O que fazer com o apartamento da Fernanda e do Luiz na Austrália? Com as coisas deles, o carro...? A cabeça tinha de funcionar, embora se recusasse a fazê-lo. As emoções eram nebulosas, e o choro, compulsivo. As palavras não dão conta de definir os sentimentos e as emoções nessas horas, disse a melhor amiga da Camila.

O luto é como uma espiral projetada para o céu em cujo topo há uma cadeira. A cadeira do entendimento. A subida é lenta, dura, escura, escorregadia, sofrida. É como se a espiral fosse um pau de sebo, porque sempre escorrego e me estatelo no chão em cacos irreconhecíveis. Tento me reorganizar, faltam partes, faltam eles. Camila, Luiz, Fernanda, Lorenzo. Recomeço a subida com o que dá para juntar. Estatelo-me de novo, novamente em cacos. Às vezes junto o que encontro de mim. Às vezes não acho o que juntar.

Não é um luto normal, pois não tem fim. Trata-se de um luto coletivo. Foram 272 vítimas. E esse luto se renova a cada dia diante das notícias de que tudo poderia ter sido evitado. Relatórios e depoimentos dos técnicos revelaram que o problema era antigo e conhecido. Tratava-se de uma barragem condenada, de um rompimento previsto em documentos. A empresa sabia que a tragédia não seria pequena – e calculou quanto valia cada vida. E mesmo assim um laudo atestava a segurança da barragem. Não houve sirene, não houve aviso. As pessoas não puderam se defender, correr, escapar, se proteger.

A falta de empatia da empresa e dos técnicos com a dor das famílias foi assustadora, indigna e traumática.

As imagens do rompimento e os artigos diários que a mídia publicava sobre os vários fatores que provocaram a tragédia se tornaram um vício; eu os consumia como se fosse doce. Eles alimentavam minha ansiedade, minha indignação, minha raiva, minha dor, meu trauma. Meus, do meu marido, da minha família, dos amigos deles e dos nossos.

Meus filhos poderiam estar aqui perto de mim com sua alegria e seus sonhos, tornando felizes nossa vida, nosso coração e nossa alma.

Nunca deixei de ler e ouvir as mensagens nos grupos do WhatsApp que tínhamos juntos. São verdadeiros tesouros que carrego comigo. Mas os grupos emudeceram. Não há mensagens desde 25 de janeiro de 2019.

Fico esperando que a porta de casa se abra e eles entrem dizendo que estavam passeando e esqueceram de me avisar. "Desculpa, mãe, o sinal do celular estava ruim".

Fico esperando o celular tocar com a imagem do Luiz na tela para contar das novidades da Austrália, das promoções no trabalho, dos prêmios recebidos pelos projetos, para trocar ideias sobre suas decisões, para contar da Fernanda, do bebê... sempre feliz, focado! Tenho saudade da sua vitalidade, do seu equilíbrio.

Fico esperando o telefone tocar com Camila dizendo "oi, maminha", sempre contando um "babado forte", às vezes para chorar por acontecimentos chatos da vida, para rir das minhas pérolas, para me convidar para um programa de mulherzinha, para uma sexta-feira no boteco. Camila parafraseou nossa condição diante do bordão criado para mulheres certinhas: dizia que éramos belas, desbocadas e do bar. Tenho saudade da sua voz, da sua alegria, das suas risadas, do seu choro, das suas emoções à flor da pele.

Como foi maravilhoso ver vocês crescerem, amadurecerem e se tornarem adultos tão especiais. Lembrados sempre como referência, éticos, íntegros, agregadores, amorosos, amigos verdadeiros. Verdadeiros exemplos de superação, coletividade, humildade, persistência e sobretudo amor ao próximo, independentemente de qualquer diferença e adversidade.

Tive surpresas depois que eles se foram. Quantas coisas os amigos me contaram que eu nem imaginava! Concluí que não os conhecia tão bem quanto pensava. Meus filhos deixaram sementes no coração de todos os que os conheceram.

E assim, em 25 de julho de 2019, seis meses depois da tragédia, nasceu o Instituto Camila e Luiz Taliberti (ICLT). Os amigos nos propuseram criar uma entidade para que meus filhos não fossem esquecidos, para que a morte deles não tenha sido em vão, para perpetuar seus legados!

Camila prestava orientação jurídica voluntária em comunidades carentes da periferia de São Paulo e atendia mulheres vítimas de violência doméstica. Só descobrimos isso depois que ela morreu. Luiz privilegiava a sustentabilidade e o respeito ao meio ambiente por meio de seus projetos arquitetônicos. Sabia ser possível construir sem destruir. Ambos haviam incorporado ao cotidiano práticas importantes e até mesmo divertidas de consumo consciente e conservação da natureza.

Inspirados nos seus ideais, os objetivos do ICLT enfatizam a defesa dos direitos humanos por meio do empoderamento de grupos vulneráveis – sobretudo mulheres – e da proteção do meio ambiente. Hoje, percebo que nosso trabalho não tem fim.

O mundo mudou muito depois que Camila e Luiz se foram. Perdeu o brilho, a graça, a alegria, além de preciosas vidas. Porém, seguirei sustentada pelo amor que tenho por eles e pelo amor que os amigos deles têm por mim. Ganhei filhos, filhas, netos, netas.

Quero que isso seja o paraquedas que me resgate das quedas do luto, que me leve à realização dos sonhos deles e que me traga paz! É como se eles estivessem aqui. Cabe a nós, os vivos, a imortalidade daqueles que se foram.

Recomeço a subida da espiral toda vez que escorrego, até que o sebo acabe, até que eu não deslize mais, até que chegue ao topo, até que entenda tudo isso. Quando eu atingir o topo da espiral e olhar para baixo, verei felicidade. Isso é para poucos, mas terei esse privilégio.

Termino este capítulo com gratidão. Gratidão por ter sido mãe da Camila e do Luiz, sogra da Fernanda e avó do Lorenzo. Por tê-los tido em minha vida. Gratidão por ter herdado um legado poderoso e lindo que eu nem sequer imaginava existir. Gratidão por ter conhecido muito dos meus filhos depois que morreram, e eles são o máximo!

Tentaram nos enterrar. Não sabiam que éramos sementes.

11. O dolorido croma

Sandra Moreno

***Segundo** o Dicionário Houaiss da língua portuguesa*, "croma" significa "dimensão do sistema Munsell de cor [corresponde mais estritamente à saturação, isto é, ao grau de viveza ou pureza de determinada cor]".

Estávamos no segundo semestre do ano de 1985 quando, em uma consulta de rotina, descobri minha terceira gravidez. Normalmente eu teria pulado de alegria, como fiz nas gestações anteriores, mas eu passava por um momento muito difícil. Estava em um processo de separação, e encarar uma gestação era tudo que eu não queria.

Mas não se podia fazer muito; era preciso assumir a responsabilidade e seguir em frente, e assim eu fiz.

A separação conjugal se consolidou, bem como a gravidez. Porém, do terceiro para o quarto mês, meu médico constatou que junto do bebê se desenvolvia um corpo estranho. Naquele momento, não era possível dizer se era maligno, benigno ou se se tratava apenas de um coágulo sanguíneo.

Precisei ficar em repouso, mas mesmo seguindo todas as recomendações médicas passei a sentir muitas dores, que vinham seguidas de pequenos sangramentos. Assim foi até o quinto mês, quando precisei ser hospitalizada, pois corria risco de morrer. A equipe médica que me assistia decidiu fazer um aborto para salvar a minha vida. Relutei demais, argumentei muito, briguei bastante e não aceitei que tirassem meu bebê; pedi aos médicos que esperassem mais um pouco, quem sabe não fosse preciso. Naquele momento, acredito que Deus os iluminou, pois eles decidiram me deixar internada até quando fosse possível esperar. Assim cheguei ao oitavo mês de gestação.

No dia 15 de maio de 1986, tive uma crise insuportável de dor e muito sangramento. Saí direto da emergência para o centro cirúrgico. De uma cesariana nascia minha Ana Paula; perfeita, assim como tudo que Deus faz. Veio ao mundo minha linda princesinha, loira, de olhos azuis e cabelos encaracolados; parecia um anjo em meio a tanta turbulência na minha vida. Ela veio para me alegrar e iluminar minha existência.

Cheia de vida e com muito bom humor, minha menina crescia. Esperta, inteligente, de gênio forte e postura decidida, sabia bem o que queria e o que não queria. Para ela, dizer sim e dizer não era a mesma coisa. Avessa a badalações, sempre foi muito caseira, muito família. Mimada pelos irmãos, era o "bebê" da casa.

Eu já estava na fase feliz da vida: três filhos, todos estudando e trabalhando, e assim seguíamos. Os anos passavam e eu não tinha do que reclamar. Os mais velhos se casaram e logo veio o primeiro neto.

Ah, como descrever a sensação de ser avó, de ver minha Paulinha sendo tia. Era a maior felicidade da vida dela: parecia que o Gustavo era seu filho e não seu sobrinho. Tudo parecia estar perfeito: ela trabalhava e estudava. Cursava a faculdade de Artes Plásticas, pois desde pequena dizia que seria artista. Ana Paula curtia a faculdade e o sobrinho, suas grandes paixões.

No dia 3 de outubro de 2009, um fatídico sábado, ela entrou no meu quarto, me beijou e se despediu, dizendo: "Até daqui a pouco, Tereza!" Não sei por que, às vezes ela me chamava de outros nomes (risos) e saía para trabalhar. Eram 5h20 da manhã. Às 13h30 do mesmo dia, fiquei sabendo que ela não comparecera à empresa. Desse momento até o dia de hoje busco respostas, notícias e informações. O que teria acontecido com minha filha? Onde ela pode ou poderia estar? Quem a pegara? O que fizeram com ela ou para ela? Sou uma colecionadora de perguntas sem resposta.

Naquele momento, voltei a sentir a dor do parto. Vivi e revivi tudo outra vez: os médicos querendo arrancar Ana Paula de mim num aborto, eu lutando e, por meio da bondade de Deus, conseguindo evitar que o fizessem. Porém, naquele 3 de outubro, eu nada pude fazer para salvar minha filha. Alguém a arrancou de mim, esticou meu cordão umbilical sem dó nem piedade.

Os anos transcorrem e minha dor é a mesma. Ainda sinto meu cordão sangrar. Trata-se de uma conexão que jamais será rompida, independentemente de quanto tempo passe.

Quando eu era criança, minha avó dizia: "Em burro cansado não se bate". Eu não entendia o que aquilo significava, mas hoje compreendo perfeitamente. Como se não bastasse a dor causada pelo desaparecimento, precisei conviver com a maldade do ser humano, com falas maliciosas, pré-julgamentos, palavras que até hoje ainda ouço e aumentam minha dor. Comentários que só prejudicam, afirmações cruéis que suscitam minha ira.

Viver um luto inacabado é o pior desafio do ser humano. Quando se perde um ente querido para a morte, vive-se todo o luto e se acomoda a dor. Mas é impossível acomodar o luto inacabado: ele é diário, está vivo, presente. É uma sombra dolorosa que jamais nos deixa.

Minha filha é meu primeiro pensamento quando acordo e o último quando me deito. Sinto seu cheiro, ouço sua voz cantarolando e seus passos chegando. Ouço seus pincéis caírem, sinto o cheiro de tinta das suas telas. Quando fecho os olhos, vejo seu sorriso, suas covinhas num rosto iluminado, sua alegria, sua força, sua vontade de viver (que era muita). Para ela, tudo era possível; Ana Paula via solução em tudo e para tudo. Essa força dela, essa garra que ela sempre demonstrou, me fizeram crer que posso fazer diferença. Por ela um dia acordei e disse: "Chega de choro, vou mudar esse cenário – ou pelo menos tentar".

Ela sempre dizia: "Mamãe, as cores e as imagens falam por nós. Se ninguém quiser nos ouvir, pintaremos tudo e todos presenciarão aquilo que tivemos vontade de dizer". Foi essa frase da minha filha que me fez parar de falar sobre o desaparecimento. Eu já estava cansada de palestrar – ninguém ouvia. Lembrei dessa frase dela e decidi então pintar o desaparecimento, fazer exposições, colorir a dor, dar cor ao luto.

Assim nasceu, em 2010, o Instituto Ana Paula Moreno (Impar), e foi por ela que transformamos um projeto pedagógico num projeto cultural. Por meio dele, retratamos nossa dor em grafites, exposições e outros tantos eventos artísticos. Era assim que ela via tudo: colorido! Dessa forma, vamos transformando e ressignificando a nossa dor. Já ajudamos centenas de famílias, e ainda ajudaremos muitas mais.

Às vezes me pergunto: "Qual era a missão dessa minha pequena? O que ela veio me ensinar? Pois logo quando se formava em meu ventre a morte a rodeou, com muita luta ela sobreviveu, viveu ao meu lado por 23 anos e, de forma inexplicável, foi arrancada de mim".

Ana Paula deixou muita dor, mas seus ensinamentos foram bem maiores. Com ela aprendi que cordão umbilical não se rompe, que comentários prejudiciais não somam e que é possível extrair flor de pedra. Essa é a minha Paulinha!

Filha, obrigada por ser tão forte e me ensinar a ser forte, obrigada pela oportunidade de ser sua mãe. Sei que nos amaremos para sempre.

As autoras

Amanda Tinoco
Graduanda em Psicologia e especialista em Luto e Cuidados Paliativos, dedica-se em tempo integral à prática humanizada dos serviços de saúde. Voluntária no Instituto Nacional de Câncer (Inca), reside no Rio de Janeiro e coordena grupos presenciais e virtuais de apoio a enlutados. Criadora do grupo do Facebook Mães Para Sempre.

Cristiana Jacó Monteiro Cascaldi
Graduada em Direito (FMU) e Psicologia (Unip), participou de diversos cursos nas áreas de conciliação, posvenção, fenomenologia, luto, Gestalt-terapia e teoria do apego. Atuou como voluntária no projeto de extensão Artinclusiva (Unesp). Atualmente, participa dos grupos de estudos sobre Gestalt-terapia e suicidologia ministrados pela profa. dra. Karina Okajima Fukumitsu.

Elaine Prestes
Tenho hoje 51 anos. Minha melhor experiência foi ser mãe da Mariana, que faleceu repentinamente aos 16 anos, no dia 25 de abril de 2016. Sou psicóloga clínica e sempre me dediquei ao estudo da infância. Os quase 30 anos de profissão me ensinaram muitas coisas, inclusive a sobreviver diante de uma perda tão devastadora. Sou especialista em psicoterapia clínica psicanalítica e realizei estudos de psiquiatria, psicologia e psicoterapia infantil. Sou pós-graduada em Situação de crise existencial e comportamento autodestrutivo (Viktor Frankl). Curso a pós-graduação em Suicidologia: prevenção e posvenção, processos autodestrutivos e luto (Universidade Municipal de

São Caetano do Sul) e sou coautora dos livros *Simplesmente Mariana, ou não!* e *Ágata*, além de cofundadora do grupo de apoio ao luto parental Mães da Esperança e de grupo de apoio aos sobreviventes por suicídio.

Gláucia Rezende Tavares
Psicóloga clínica, realizo atendimentos individuais, de casais e famílias. Mestre em Ciências da Saúde pela Faculdade de Medicina da Universidade Federal de Minas Gerais (UFMG) sou cofundadora da Rede API – Apoio a Pedas (Ir)reparáveis, docente da pós-graduação em Suicidologia: prevenção e posvenção, processos autodestrutivos e luto da Universidade Municipal de São Caetano do Sul.

Helena Taliberti
Aos 62 anos, Helena Taliberti perdeu sua filha, seu filho e sua nora grávida de 5 meses do seu primeiro neto. Viu sua vida ruir, perder a cor, o sentido. Desde então, tem se dedicado a manter o legado deles e hoje preside o Instituto Camila e Luiz Taliberti, criado em homenagem a seus filhos mortos na tragédia de Brumadinho em 25 de janeiro de 2019.

Karina Okajima Fukumitsu
Psicóloga e psicopedagoga, com pós-doutorado em Psicologia pelo Instituto de Psicologia da Universidade de São Paulo (USP). Mestre em Psicologia Clínica pela Michigan School of Professional Psychology. Coordenadora do curso de pós-graduação em Suicidologia da Universidade Phorte e dos cursos de pós-graduação em Morte e Psicologia — Promoção da Saúde e Clínica Ampliada e em Abordagem Clínica e Institucional em Gestalt-terapia, da Universidade Cruzeiro do Sul (Unicsul). Produtora e apresentadora do *podcast* "Se tem vida, tem jeito" e organizadora desta obra.
Contato: https://linktr.ee/karinafukumitsu.

Ligiane Righi da Silva

Mãe coruja da Andrielle e da Gabrielle, casada com o Flávio, empresária e ativista na busca de justiça para os jovens que foram vítimas da boate Kiss. Com a perda da Andrielle, tornou-se membro da Associação dos Familiares de Vítimas e Sobreviventes da Tragédia de Santa Maria (AVTSM). Com outras mães e colaboradoras, também desenvolve o projeto "Quadradinhos de amor", no qual se confeccionam mantas, roupas, sapatos e toucas para recém-nascidos em situação de vulnerabilidade social.

Márcia Noleto

Carioca, casada, mãe de Mariana e João Pedro. Psicóloga clínica (IBMR/RJ), mestranda em Metafísica e Filosofia da Ciência (Uerj) e especialista em Psicologia Clínica Fenomenológica Hermenêutica (USU/RJ). Graduada em Jornalismo (Facha/RJ) e em História, Literatura e Civilização Francesa pela Universidade de Nancy II (França). Fundadora do Grupo Mães Semnome e da Clínica C-FEN. Dedica-se, desde 2011, ao tema do luto materno e à implantação de uma rede de apoio a enlutados.

Maria Manso

É jornalista desde 1988. Trabalhou como repórter em todas as TVs abertas e também ajuda outras pessoas a escrever suas histórias e sonhos. Com o documentário *Precisamos falar sobre isso*, foi indicada pela TV Cultura ao Emmy Internacional. Prefaciadora desta obra.

Paula Fernandes Távora

Mãe de duas filhas que moram longe, Juju no céu e Bela na Suíça. Mineira, médica, mestre em Imunologia pela University of Cambridge, especialista em Patologia Clínica/Medicina Laboratorial, sócia fundadora de empresas do setor de saúde e professora assistente de Medicina Laboratorial na Faculdade Ciências Médicas de Minas Gerais. Participante da Rede API – Apoio a Perdas (Ir)reparáveis) há dez anos.

Patrona do Projeto social Núcleo Esportivo de Handebol Ju Germani. Para saber mais, acesse: https://youtu.be/G4KA5_O4CVM.

Rosana De Rosa

Formada em Psicologia pela Florida University, resido nos Estados Unidos há 23 anos e atuo como terapeuta há duas décadas. Sou fundadora do Método Terapêutico Jornada Vence(r)dores e idealizadora do Projeto Acolher Perdas e Luto, que apoia e ensina as pessoas a lidar com as suas dores. Para me conhecer melhor, visite minhas redes sociais – @rosanaderosa (Instagram, Facebook, YouTube) – ou faça parte da comunidade Rosana De Rosa no Telegram.

Sandra Moreno

Mãe de três filhos, avó de três netos e sonhadora-mor, é fundadora do Instituto Ana Paula Moreno (Impar).

As instituições e suas ações

ABESC – NÚCLEO ESPORTIVO JU GERMANI DE HANDEBOL
Responsável: Paula Fernandes Távora
Associação sem fins lucrativos sediada em Belo Horizonte (MG).
Contato: @abescesportes

GRUPO DE APOIO AOS ENLUTADOS POR SUICÍDIO TRANSFORMADOR EM AMOR
Responsáveis: Karina Okajima Fukumitsu e equipe do Núcleo de Assistência Social (NAS) do Instituto Sedes Sapientiae, em São Paulo (SP).
O grupo de acolhimento acontece toda última terça-feira do mês, das 19h30 às 21h30. Os facilitadores dividem a condução de cada encontro, sendo um profissional do NAS e um enlutado por suicídio.
Contato: nas@sedes.org.br

GRUPO MÃES DA ESPERANÇA
Responsável: Elaine Prestes
Nosso grupo se reúne toda quinta-feira, oferecendo palestras, formações, depoimentos, *lives* e diversas formas de acolhimento ao difícil processo do luto. Com a chegada de novas participantes, percebemos que as demandas eram diferentes: mães de filhos que se suicidaram, mães de bebês neonatais, de vítimas da Covid etc. Atualmente, contamos com vários grupos, e mesmo com a pandemia mantemos nossas reuniões virtuais e o acompanhamento pelos grupos de WhatsApp e redes sociais.

Contatos: https://instagram.com/maesdaesperanca?igshid=1ubc3k-95qml8g
https://www.facebook.com/maesdaesperanca.londrina
https://www.youtube.com/channel/UCiSLZpHCuec81GxVFHZ-wRxQ

Grupo Mães Semnome
Responsável: Márcia Noleto
Criado em junho de 2011, surgiu de uma ideia muito simples: colocar em contato mães que tinham perdido seus filhos. Uma iniciativa que nasceu da necessidade de trocar experiências com outras mães e debater novas formas de rearticulação com a vida. Atualmente, o grupo é um projeto da C-FEN: Clínica e cursos em Fenomenologia. As reuniões são *online* e reúnem mulheres de vários estados do Brasil.
Contatos: galm@cfen.com.br
cfen.com.br
https://www.facebook.com/maessemnomereaprendendoaviver

Instituto Camila e Luiz Taliberti
Responsável: Helena Taliberti
O Instituto Camila e Luiz Taliberti é uma iniciativa coletiva de amigos e familiares de Camila e Luiz Taliberti, vítimas do rompimento da barragem de Brumadinho, ocorrida em 25 de janeiro de 2019. Camila era advogada e fazia trabalho voluntário em comunidades carentes de São Paulo, prestando orientação jurídica a mulheres vítimas de violência doméstica. Luiz era arquiteto e aplicava os princípios da arquitetura sustentável em seus projetos. Nesse sentido, o Instituto tem como missão atuar em temas socioambientais, sendo seu principal objetivo a defesa dos direitos humanos no que diz respeito ao empoderamento de grupos vulneráveis, especialmente mulheres, e à proteção do meio ambiente.
Contatos: institutocamilaeluiztaliberti@gmail.com
www.somossementes.org.br

@institutocamilaeluiztaliberti no YouTube, Facebook, Instagram, e o nome completo no Spotify

Instituto Ana Paula Moreno (Impar)
Responsável: Sandra Moreno
Desde o desaparecimento da filha Ana Paula Moreno, em 3 de outubro de 2009, sua mãe vem lutando por melhorias nas políticas públicas voltadas para o tema. Desse desejo de mudança nasceu o Instituto Ana Paula Moreno (Impar), que atende familiares de pessoas desaparecidas, oferece suporte social, jurídico e psicológico, apoia a divulgação do assunto e incentiva o fortalecimento de redes de enfrentamento ao desaparecimento, ao mesmo tempo incitando políticas governamentais para o setor.
Contatos: impar@impar.org.br

Projeto Acolher Perdas e Luto
Responsável: Rosana De Rosa
Organização sem fins lucrativos cujo objetivo é acolher pessoas que estejam vivenciando a dor do luto. O projeto se divide em três áreas para o desenvolvimento do ser integral: 1. O Método de Acolhimento Ato de Amor, realizado em 12 semanas, com conteúdo especializado (Telegram). 2. O Treinamento ao Acolhedor, que capacita pessoas a acolher o próximo (Telegram). 3. O projeto Ampliando a Consciência, que acolhe almas por meio de *lives* (YouTube). Contamos com a colaboração de uma grande rede de voluntários e padrinhos.
Contato: www.projetoacolherperdaseluto.com.br

Quadradinhos de amor
Responsável: Ligiane Righi da Silva
Grupo de mães e colaboradoras que ajudam na confecção de mantas, roupas, sapatos e toucas para recém-nascidos em situação de vulnerabilidade social.
Contatos: @avtsm27 e @ligianerighidasilva

Rede API – Apoio a Perdas (Ir)reparáveis
Responsável: Gláucia Rezende Tavares
A Rede API é uma associação sem fins lucrativos que nasceu seis meses após a morte de Camile Rezende Tavares, filha de Eduardo Carlos Tavares e Gláucia Rezende Tavares. Eduardo é pediatra e professor universitário; Gláucia é psicóloga clínica. Há 23 anos a Rede API recebe enlutados ininterruptamente.
Contatos: contato@redeapi.org.br
www.redeapi.org.br
@redeapi no YouTube, Facebook e Instagram

leia também

MATERNIDADE INTERROMPIDA
O drama da perda gestacional
Maria Manuela Pontes

Por vezes o ciclo da vida inverte-se: morre-se antes de nascer. Infelizmente, a sociedade não tem consciência de como é frágil a maternidade. Este livro denuncia os processos da dor e do luto em mulheres que lutaram contra o drama da perda gestacional. São testemunhos reais de uma dura realidade, que, silenciosa, clama por ser ouvida. Obra que serve de apoio às mulheres que passaram pela perda, auxilia seus familiares a compreender aspectos da psique materna e revela aos profissionais de saúde a faceta humana de um acontecimento tido como "normal" pela medicina.

ISBN 978-85-7183-060-8

QUANDO A MORTE CHEGA EM CASA
Karina Okajima Fukumitsu e Teresa Vera de Sousa Gouvêa (orgs.)

A morte, destino comum a todos os seres vivos, é tabu na cultura ocidental. Este livro reúne 13 relatos nos quais os autores compartilham experiências de vida em que a presença da morte lhes trouxe aprendizados transformadores. Entre os temas abordados estão: a morte súbita e a morte lenta; a morte em idade precoce e aquela em idade avançada; a perda de um pai e a perda de um filho; a morte esperada e aquela que interrompe planos; a morte desamparada e a morte acompanhada. De forma pungente, os autores desta obra mostram que é aprendendo a refletir e a conversar sobre a perda de quem amamos que nos abrimos a uma vida plena.

ISBN 978-65-5549-059-6

LUTO
Estudos sobre a perda na vida adulta
Colin Murray Parkes

Muitas vezes as pessoas sentem-se desorientadas quando perdem um parente ou um amigo querido. O estudo do sentimento de perda e do luto tem ocupado, nas últimas décadas, um espaço considerável no campo da psicologia. O autor, um dos pioneiros dessa área, desenvolve novas e atualizadas teorias que ajudam a entender as raízes do pesar e do sofrimento causados pelo luto. É uma abordagem baseada na sua experiência clínica, que apresenta propostas concretas para minimizar os efeitos emocionais e psicológicos da perda. Indicado para médicos e psicólogos, e também para os que se interessam pelo assunto

ISBN 978-85-323-0639-5

leia também

LUTO É OUTRA PALAVRA PARA FALAR DE AMOR
Cinco formas de honrar a vida de quem vai e de quem fica após uma perda
Rodrigo Luz

A morte de um amor é uma das experiências mais devastadoras enfrentadas pelo ser humano. Apesar disso, no Ocidente, a expressão da dor é muitas vezes vista como fraqueza ou exagero. Mas o que acontece quando sufocamos nossos sentimentos, evitando entrar em contato com eles? Neste livro, o psicólogo Rodrigo Luz apresenta as muitas faces e os diversos sentimentos que constituem o luto. Além disso, conta algumas das muitas histórias vividas por ele no contato com famílias e indivíduos que enfrentam a perda. De forma empática, o autor oferece aos enlutados infinitas possibilidades de acolher a dor e mostra que ela é uma das faces do amor.

ISBN 978-85-7183-285-5

VIDA, MORTE E LUTO
Atualidades brasileiras
Karina Okajima Fukumitsu (org.)

Esta obra apresenta os principais cuidados e o manejo em situações-limite de adoecimento, suicídio e processo de luto, bem como reitera a visão de que, toda vez que falamos sobre a morte, precisamos também falar sobre a vida. Escrito por profissionais da saúde, é destinada a psicólogos, médicos, assistentes sociais, enfermeiros etc. e aborda temas como: espiritualidade, finitude humana, medicina e cuidados paliativos; intervenção na crise suicida; pesquisas e práticas sobre luto no Brasil e no exterior; luto não autorizado; as redes de apoio aos enlutados.

ISBN 978-85-323-1101-6

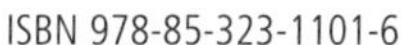

AMOR E PERDA
As raízes do luto e suas complicações
Colin Murray Parkes

Somente ao entender a natureza e os padrões do amor podemos compreender o luto; por outro lado, a perda de uma pessoa amada nos ensina muito sobre a natureza do amor. Neste livro, Parkes apresenta sua pesquisa inovadora, que une conhecimentos sobre os vínculos estabelecidos na infância e os problemas no luto, originando uma nova maneira de pensar sobre o tema. Além disso, esclarece uma ampla variedade de questões psicológicas. Leitura essencial para todos os que trabalham com o luto, bem como para estudantes de psicologia, psiquiatria e das áreas de saúde e ciências humanas em geral.

ISBN 978-85-323-0499-5

Grupo Summus
www.gruposummus.com.br
www.gruposummus.com.br
Acesse, conheça o nosso catálogo e cadastre-se para receber informações sobre os lançamentos.

www.gruposummus.com.br